仏果《ぶっか》を得《え》ず

装丁　松昭教
装画　勝田文

一、幕《まく》開《あ》き三番《さんば》叟《そう》

「おまはん、六月から兎一郎《といちろう》と組みぃ」

と健《たける》が銀大夫《ぎんたゆう》に言われたのは、春もまだ浅いころのことだった。

健はちょうど、楽屋の胡蝶蘭に水をやっていた。「笹本《ささもと》銀大夫さん江」という札の立った鉢には、白い花を咲かせて重そうにしなる株が三本。こういう鉢を、師匠の銀大夫は初日のたびにいくつももらう。置ききれないぶんは、楽屋口の受付の脇に並べて飾る。

楽屋にある胡蝶蘭の札を見れば、その日にだれが銀大夫を訪ねてくるのかがわかる。健の仕事のひとつは、受付にずらっと並んだ胡蝶蘭のなかから、銀大夫に言われた鉢を楽屋まで運ぶことだ。銀大夫を贔屓《ひいき》にする客は、自分の贈った鉢が楽屋にあるのを見て喜ぶ。「ま、外交は大切ですわな」と銀大夫はいつも言う。

「これって、一鉢いくらぐらいするんだろ」と考えていたので、健は反応が遅れた。俺の一カ月の飯代より高いのはたしかだろう。指先でつまめる小さな花一個が、俺の飯の三食分、いや五食分ぐらいあったりして。うわあ、ご飯茶碗がいっぱいぶらさがってるみたいに見えてきた。

「聞いとるんか、こら」

銀大夫の投げた扇子が、健の側頭部に当たって畳に落ちる。健は我に返ってあたりを見まわした。楽屋には、健と銀大夫の二人しかいない。さっきまでいたはずなのに、幸兄《こうにい》さんはどこ行っちゃったんだ、と健は思う。てっきり、師匠は健の兄弟子の幸大夫《こうたゆう》に話しかけているのだと思っていた。

「聞いとります」

健は急いで扇子を拾い、銀大夫の鏡台に載せた。銀大夫は浴衣姿で鏡台に向かい、老眼鏡をかけて床本《ゆかほん》を眺めている。健は正座して師匠の言葉のつづきを待ったが、銀大夫は黙ったままだ。

「あの」

健はおずおずと切りだした。「兎一《といち》兄さんと組むんですか? 俺が?」

「そや」

「えー」

「えー、ってなんや」

銀大夫が床本から顔を上げた。ずり落ちた老眼鏡の隙間から、すくいあげるように健を見る。

「若手のなかで、あれぐらい弾きよる三味線はおらんで。おまえにはもったいないぐらいや」

「や、それなら俺は亀治《かめじ》兄さんがいいです」

「アホ」

至近距離から眉間に扇子が突き刺さった。健は扇子を拾い、今度は銀大夫の利き手とは離して鏡台に置いた。

「亀ちゃんは俺の相三味線《あいじゃみせん》や」

と銀大夫は憤然として言う。「老境に入って得た俺のベターハーフや。おまはんみたいなペーペーに、亀ちゃんは百万年早いわボケが」

「言うてみただけですやん」

健は薄く皮の剝けた額をさすった。「師匠。俺、兎一兄さんといっぺんも話したことないですよ。十年間、ほとんど毎日顔合わせとるのに、いっぺんもですよ」

「挨拶ぐらいはするやろ」

「そりゃまあ。でも、仲良うはしとりません」

「せやからおまえはアホや言うねん」

銀大夫はため息をつき、膝を動かして健に向き直った。「ええか、大夫と三味線は夫婦みたいなもんや。夫婦が仲ええ必要あるか?」

あるんじゃないかと健は思ったが、黙っておいた。スピーカーを通して、舞台の音が楽屋に低く流れている。ちょうど「すし屋の段」だ。「親への義理に契《ちぎ》ったとは、情《なさけ》ないお情《なさけ》に預かりました」と、お里がやるせなく泣いている。

「銀師匠」

と、楽屋の戸口から亀治が顔をのぞかせた。三十代後半の亀治は、若輩の健にもにこやかに会釈した。草履を脱いで上がり端の畳にきっちりと正座し、軽く両手をつく。

「ちょっと稽古つけていただきたいところがあるんですけど、いまよろしいでっしゃろか」

「おお、亀ちゃん」

銀大夫は相好を崩し、床本を手にそそくさと立ちあがった。「ええな、健。もう決まったことや。兎一とみっちり合わせとき」

亀治と連れだち、銀大夫は張り切って楽屋を出ていく。「黄金《こがね》に勝る銀大夫」と称される人間国宝も、亀治のまえでは形無しだ。健は「はい」と言って師匠を見送る。息の合う三味線を得て浮き立つ、銀大夫を見るのはうれしかった。だけど、俺に兎一兄さんと組めとは、どういうことだろう。厄介なことになりそうだ。というよりも、厄介事を押しつけられそうだと言うべきか。

健は楽屋で一人、困惑のうなり声を上げた。

とはいえ、師匠の意向は絶対だ。健は早速、兎一郎の楽屋へ挨拶しにいった。七人で使っているその楽屋に、兎一郎の姿はなかった。いつ行っても、いないのだ。

こんなに楽屋にいなくて、団体生活をうまくやっていけるのか。健はしまいには、まだしゃべったこともない兎一郎のことが心配になってきた。

文楽の技芸員は、大夫、三味線、人形遣い、あわせて九十人弱だ。同じ顔ぶれで、何十年も一緒に公演の日々を過ごす。基本的には、一月《ひとつき》ごとに東京と大阪の劇場を行き来し、合間には地方公演があるから旅もする。先輩と後輩。師匠と弟子。芸の道を行く同志でありながら、矜持のぶつかりあう好敵手。複雑で濃密な人間模様が繰り広げられているのが、文楽の舞台裏だ。

それなのに兎一郎は、兄弟子や長老格の大夫を放って、ふらふらと楽屋からいなくなってしまうらしい。義太夫三味線《ぎだゆうじゃみせん》、鷺澤《さぎさわ》兎一郎の評判は、文楽の技芸員たちのあいだでだいたい一致していた。曰《いわ》く、「実力はあるが変人」。

稽古中に滅多に口をきかない。若手の大夫に向かってやっと言った言葉が、「おまえの義太夫じゃ、おちおち寝ることもできないな」だった。少しは親睦をはかったらどうかと草野球に誘ったら、「丸いものがきらいなので、球技は遠慮します」と、よくわからない理由で断られた。楽屋の食堂で、五つぐらい並べたプリンをうまそうに食べている。

兎一郎に関する妙な噂は、枚挙にいとまがない。

いやだなあ、と健は思った。そんな変わりものには、あまり近寄りたくない。ただでさえ繊細な俺の神経がすり減る。周囲を翻弄するキャラクターの持ち主は、師匠の銀大夫だけで充分だ。

六月の大阪公演で、健と兎一郎が組むことはすでに決まっている。そのうちになにか言ってくるだろうと、健は兎一郎と接触を持つのを先送りにした。


国立劇場で行われる五月の東京公演は、連日ほぼ満員だった。

健は舞台袖から、『幕開《まくあ》き三番叟《さんばそう》』を眺める。虎縞《とらじま》の烏帽子《えぼし》をかぶった三番叟人形が、開演前の舞台を舞い踊っている。何百年も行われてきた、舞台を祓《はら》い清めるための儀式だ。

今日も頑張ろう、と気合いを入れ直しているところへ、兄弟子の幸大夫が声をかけてきた。

「ここにおったんか。師匠が呼んどるで」

なんだろ、と健は首をかしげた。銀大夫は稽古のときには厳しいが、弟子に身のまわりの世話をさせたりはしないほうだ。宿泊先のホテルに迎えにいったり、床本を包んだ風呂敷を持ったりしようとすると、「年寄り扱いすな」と怒る。

だから今朝も、健は一人でさっさと楽屋入りした。朝一番の仕事は、あとからやってくる銀大夫に挨拶し、プレーンヨーグルトに蜂蜜をかけたものを出すことだけだ。

銀大夫はここ二年ほど、「腹のなかをきれいにする」と言って、楽屋入りしてまずはヨーグルトを食べる。銘柄にはこだわりがないようで、特売の品を器によそえばいい。ただ、ヨーグルトと蜂蜜の配分にうるさい。よそいかげんが一番好みに合うらしく、健は銀大夫から「ヨーグルト係」に任命されていた。

銀大夫はたまにスプーンをくわえながら、「俺はええ弟子を持った」と言う。そんなことで褒められても、と健は思う。稽古のときに褒められたことは、まだ一回もない。

朝の忙しい時間に師匠から呼びだしがかかるなんて、めずらしい。さては、なにかお小言かと考えても、思い当たることがない。さきほども銀大夫は、満足そうにヨーグルトを食べていた。それで健は、朝のお勤めは終わったとばかりに、『幕開き三番叟』を見にきたのだ。

「早よせえ」

と急かす幸大夫に付き従い、健は舞台裏から楽屋の廊下に入った。

開演を目前に控え、通路には技芸員や裏方があわただしく行きかう。黒衣《くろご》姿の人形遣いが、舞台監督と出《で》の確認をしている。大夫が通路の一角にある手洗い場で、入念にうがいをする。あちこちの楽屋から、音色をたしかめる三味線の音が聞こえてくる。

銀大夫の暖簾《のれん》がかかった楽屋。健と幸大夫の楽屋でもある七人部屋に足を踏み入れ、健は

「あ」と思った。室内には、銀大夫と亀治、そして兎一郎が座っていた。すっかり忘れていた。というよりも、忘れていたくて、兎一郎と稽古の打ち合わせをするのを、ついついあとまわしにしてしまっていた。

銀大夫は部屋の一番奥の鏡台を背に座り、戸口に立つ健をじろりとにらんだ。そのまえに、亀治と兎一郎が並んで正座している。亀治が振り返り、「健、呼びたてて悪いな」と微笑んだ。幸大夫に背中をどつかれ、健は楽屋に上がった。兎一郎の隣におずおずと座る。幸大夫は、弟子を助けるつもりはないらしい。壁際の自分の鏡台に向かい、「我関せず」と床本を読みだした。

「健」

銀大夫が重々しく口を開いた。「おまえまだ、兎一郎と一回も稽古しとらんらしいな」

「すんません」

「もう一カ月もないで。はじめて一緒に床《ゆか》に上がるいうのに、なに考えとるんや」

なに、もなにも、稽古しようにも兎一郎がいなかったのだ。健はそう言いたかったが、「すんません」とひたすら謝った。銀大夫が、畳んだ扇子をばしばしと自身の掌に打ちつけていたからだ。

「まあまあ。健は何度も、楽屋に来てくれましたんや」

と、亀治が穏やかに取りなす。「兎一がちょっとも楽屋に居着かんのが悪い。今日から二人で稽古せえ。な？」

銀大夫は「むう」とやや苛立ちを収め、健はおとなしく「はい」と言った。しかし兎一郎が、思いがけない反論に出た。

「銀大夫師匠。こちらのお弟子さんと組むというのは、来月の公演かぎりのことでしょうか」

健は驚いて、隣に座る男の顔を見た。こんなに長い文章を話す兎一郎は、はじめてだ。楽屋の廊下ですれちがったときに、健が「おはようございます」と言っても、兎一郎はいつも上の空で、「ん」と答えるぐらいだった。

兎一郎の声は少しかすれていた。たしか三十代半ばだったと思うが、声だけ聞いたら年齢不詳だ。声変わり中のようでも、声帯にガタがきた老人のようでもある。

整った顔立ちに隠しきれない憤りの色をのせ、兎一郎は銀大夫を真っ向から見据えている。銀大夫はしかし、動じることはなかった。

「そんなわけあるか。しばらくは、あんたと健のコンビでやってもらう。これは、俺だけの考えやない。蝶二《ちょうじ》はんも同意しはったことや」

鷺澤蝶二は、三味線の人間国宝だ。大夫と三味線の最長老が、そろって決めたこととなれば、健はもとより、兎一郎だって否と言うことはできない。ところが健の予想に反し、兎一郎は「お断りします」と毅然として言った。

「俺は、特定の大夫と組むつもりはありません。来月の公演だけにしてください」

「あほう！」

銀大夫が八十歳の老人とは思えぬ俊敏さで立ちあがり、扇子で健の頭をしこたまはたいた。

「なんで俺を殴るんですか！」

健が抗議すると、銀大夫は仁王立ちのまま肩をいからせ、

「俺の弟子やからや！」

と言い放った。

「そんな無茶苦茶な話がありますか」

健は脳天をさすりながら、難を逃れた兎一郎を恨めしく見やる。兎一郎は微動だにしていなかった。

「まあまあ」

と再び亀治が場を取りなし、銀大夫を座布団に座らせる。それから兎一郎に向き直った。

「兎一。銀師匠は心配してくれてはるんや。健はまだ若いけど、見どころのある大夫やで。その大事な弟子を、おまえに預けるて言うてくださっとる。おまえもここらでもう一度、決まった相手とじっくり芸に取り組んだらどうや」

もう一度、というのが健は気になった。健の知るかぎり、兎一郎はほとんど公演ごとに、組む大夫がちがう。中堅以上の大夫には、「兎一は勘所《かんどころ》がええ」と重宝されていたが、若手には恐れられていることも、健は知っていた。間《ま》の取りかたの悪いところを、三味線の音《ね》で有無を言わさず正していくからだ。

この「芸道の鬼」って感じの、神経質で頑固そうなひととと、じっくり芸に取り組むのは無理なんじゃないかなあ。健はそう思った。俺の考えや解釈になんか、耳を傾けそうもない。

兄弟子に諭されても、兎一郎は黙ったままだ。銀大夫がため息をついた。

「健。おまはん、ぼらんちあに行っとったな」

急に話題が変わって戸惑ったが、健は「はい」と答えた。銀大夫が言っているのは、小学生への文楽指導ボランティアのことだろう。大阪の国立文楽劇場で公演がある月は、健は週に一回、市立新津《にいつ》小学校に通っている。大夫、三味線、人形から一人ずつ派遣され、小学生たちにそれぞれ実技指導するのだ。

「どや、楽しくやっとるか」

「はあ、まあ……」

健は学校という場所があまり好きではなかったが、小学生たちは熱心に義太夫を語る。それでなんとなくほだされて、一年ほどは率先して指導役を買ってでていた。

「そうかそうか」

と銀大夫は満足そうにうなずいた。「兎一郎、あくまでも健と組みたない言うんなら、あんたにも新津小学校に行ってもらうで」

「えっ」

兎一郎がはじめて狼狽した。「銀大夫師匠、それは……」

「いやか」

「困ります」

「そんなら、健と組みなはれ」

銀大夫は、「話は終わり」と手を振った。亀治はにこにこと笑っている。鏡台に向かった幸大夫が、床本に顔をうずめるようにして肩を震わせている。健はまったくわけがわからず、室内に居合わせた面々を見まわした。

「おい」

と、兎一郎が健に向かって言った。かすれを通りこして、潰れたような声だった。

「今日から稽古だ。都合のいいときに呼びにこい」

兎一郎の突然の変心の理由はわからないが、稽古をはじめられるなら、それでいい。

「よろしくお願いします」

と、健は畳に手をついて頭を下げた。「あの……、楽屋におられますか」

「いるようにする」

いやでいやでたまらない、と顔に書いてあったが、兎一郎はそう請けあった。あとは無言のまま、一礼して楽屋を出ていく。健はしばし迷ったが、思いきって兎一郎のあとを追った。

「兎一兄さん」

楽屋にいる、と言ったのに、兎一郎はさっそく食堂のほうへ向かっていた。健をちょっと振り返ったが、足は止めないまま食堂に入り、冷蔵庫からプリンを出す。自分用に買い置きしてあるらしい。噂は本当だったのか、と思いながら、健は兎一郎の向かいの席に座った。

朝の食堂内には、うどんをすする大夫が一人いるだけだった。健と兎一郎の組み合わせを見て、「めずらしいな」とちらっと眉を上げてみせる。健は先輩の大夫に会釈し、プリンを食べる兎一郎のまえで姿勢を正した。

「師匠が無理を言ってすみません」

兎一郎は黙々と、プラスチックの小さなスプーンでプリンをすくっている。健はひるんだが、言葉をつづけた。

「俺と組んだら、兎一兄さんにいい役がまわってこなくなる。それは申し訳ないと思います。でも、頑張りますから、どうかよろしくお願いします」

テーブルに額がつくほど、頭を下げる。協調性のなさそうな兎一郎の性格は、健にはどうも理解しかねる。だが、恒常的にコンビを組むと決まったからには、少しでも歩み寄りたかった。気むずかしい兎一郎に振りまわされ、稽古が疎《おろそ》かになるのは絶対に避けたい。せっかく劇場に足を運んでくれた客のまえで、中途半端な義太夫を語りたくなかった。

「そういうことじゃない」

兎一郎がぼそっと言ったので、健は身を起こした。兎一郎は困ったように、手もとのプリンに視線を落としていた。

「役にいいも悪いもないだろう。どの役だって大事だ」

健は少しうれしくなった。健が語るのは、ほとんどが端場《はば》か、大夫と三味線が床にずらっと並ぶ景事《けいごと》だ。物語的に重要な場を任されるまでには、まだまだ長い道のりがある。そんな健といつも組むということは、兎一郎も大曲や難曲から遠ざかることを意味する。兎一郎は、己れの実力と見合わない、格下の大夫がいやなのだろう。健はそう思っていたのだが、どうやらちがったようだ。

あれ、でも待てよ。健は椅子に腰を落ち着け、ゆっくりと考える。どんな役でも不満はない、ということとは。兎一兄さんの不機嫌の理由はやっぱり、ひたすら俺とは組みたくないから、ってことになるんじゃないか？

歩み寄れるかもしれない、と喜びに沸いた心が、とたんにしぼんだ。健ががっかりして肩を落とした気配を、兎一郎は察したらしい。

「それに、六月は『油地獄《あぶらのじごく》』の河内屋内《かわちやうち》の段だろう」

「はい。出だしのところですけど」

「それだって、大きな役に変わりはない」

兎一郎は居心地悪そうに、スプーンでプリンを突いた。「きみ個人に対して含むところがあるわけじゃない。気にしないでくれ」

もしかしてこのひと、ひとづきあいに関してものすごく無器用なだけかもしれない。健がそう思ったのは、それが最初だった。

開演ブザーが鳴るのを機に、健は席を立った。「じゃ、あとで呼びにいきます」と言うと、兎一郎はわずかにうなずいてみせた。

楽屋に戻った健は、「本日の胡蝶蘭」を運んだり、床本をさらい直したりと、忙しい時間を過ごした。健の出番は、午後の部の二つ目の演目だ。それにあわせて昼食を摂った。満腹でも空腹でも、声はうまく出ない。出番の二時間ほどまえに、食堂で素うどんを食べるぐらいが、健にはちょうどよかった。

健と兎一郎がしばらくコンビを組む、という話は、仲間内にあっというまに広がったようだった。いまさらあとに引けないように、銀大夫が言いふらしたのだろう。うどんをすすっていると、大夫と三味線のみならず、人形遣いにも声をかけられた。

「よう、健。兎一兄さんと組むことになったんだって？」

「苦労させられるでえ」

「ええ修業になるやろ。ぶつかっていけ」

はい、はい、と返事をしつつ、あわただしく昼飯を終えて楽屋に戻る。午後の部の最初の演目が、銀大夫の出番だ。

舞台ではいま、幸大夫が『菅原伝授手習鑑《すがわらでんじゅてならいかがみ》』の「寺入りの段」を語っている。スピーカーから楽屋に流れる幸大夫の声は、寺子屋に子どもを預けた女が去っていくシーンに差しかかろうというところだ。銀大夫はそのあとにつづくシーン、「寺子屋の段」を語る。

銀大夫は、もう何十年もそうしてきたのだろう。淡々と浴衣から裃《かみしも》に着替えた。さりげなく流れるような動作だが、健はいつもこのとき、師匠から激しい気迫があふれでるのを感じる。銀大夫が肩衣《かたぎぬ》をつけ、最後に袴《はかま》を穿いた。畳に膝をついた健は、タイミングを逃さず、うしろから腕をまわして袴の紐を差しだす。

しっかりと紐を締め、隙なく着付けを終えると、銀大夫は楽屋に正座した。畳に手をつき、銀大夫は出番前の挨拶をする。もちろん、師匠である銀大夫が健に向かって頭を下げるのなど、このときだけだ。

「おねがいします」

「ご苦労さまです」

と、健も両手をついて丁寧に返した。舞台で自分の身になにかあったら、あとを頼む、という意味の挨拶だ。半ば形骸化した慣習だが、銀大夫はいつも、「今日が最期」という真剣さで挨拶する。芸にかける思いの深さと激しさが伝わってくるから、健は扇子で何度はたかれようとも、銀大夫についていこうと決めている。

銀大夫は大切に床本を捧げ持ち、楽屋の通路から舞台裏に出た。健もそのあとに付き従う。出《で》語《がた》り床《ゆか》の裏手では、銀大夫とそろいの裃をつけた亀治が待っていた。

張りつめた空気のなか、銀大夫と亀治は口をすすぎ、清めの塩を撒く。なにも言葉を交わさぬまま、二人は並んで盆に座った。床の表で幸大夫が、「振り返り見返りて、下部《しもべ》」と語り、湯澤《ゆざわ》野《の》助《すけ》の三味線がオクリを奏でる。

銀大夫が気合いをこめ、「はっ」と合図を送った。黒衣姿の床世話《ゆかせわ》が、二人がかりで盆をまわす。床の盆がくるっとまわり、銀大夫と亀治が床の表へ出た。場内から盛大な拍手が湧くのが聞こえる。同時に、出番を終えた幸大夫と相方の野助が、床の裏へと戻ってきた。

「お疲れさまです」

盆から下りる幸大夫に、健は小声で言った。幸大夫はうなずき、肩衣をはずす。休む間もなく、幸大夫は袖から出語り床の横手に出ていった。一番弟子の幸大夫は、師匠の語る姿を間近で見ることを許されている。

健はまだ、床の裏で銀大夫の語りに耳をそばだてるしかない。幸大夫の肩衣を超特急で楽屋の衣紋掛《えもんか》けにかけにいき、また超特急で床の裏に戻る。

『菅原伝授手習鑑』は名作と言われ、特に「寺子屋の段」は人気が高い。だが健は、この段があまり好きではなかった。菅原道真の息子の首を差しだせ、と命ぜられた大人たちが、身代わりにふさわしい子どもを必死になって物色する話だからだ。いくら主君の子を助けるためとはいえ、そりゃないだろ、と思う。

だけど師匠が語ると、なんでか泣けるんだよなあ。床世話に気づかれないように、健はこっそり鼻をすすった。

床からは、銀大夫のしゃがれた、しかし深みのある声が響いてくる。寺子屋を営む夫婦が、預かっている主君の子の代わりに、新しく入門した子の首を差しだそうと決めたところだ。「鬼になって」と語る銀大夫の声から、尋常ではない決意を固め、凄絶な顔で目と目を合わせる夫婦の姿が、ありありと浮かんでくる。

もし俺が、寺子屋の夫婦と似たような立場になったら、どうするだろう。健は薄暗い床の裏で想像をめぐらせる。この話の登場人物たちは、忠義のために子どもを殺そうとしている。忠義のため、か。銀大夫師匠の命を助けるかわりに、新津小学校のミラちゃんを殺せ、と言われるようなものかな。

健はそう考え、すぐに「ありえない」と打ち消した。小学三年生のミラちゃんは、義太夫を語るのが大好きだ。健が東京公演に出ているあいだも、メールで熱心に質問事項を送ってくる。そんなミラちゃんを、銀大夫を助けるために殺すなんて論外だ。『仮名手本忠臣蔵《かなでほんちゅうしんぐら》』にも、「勿体《もったい》ないが父様は、非業の死でもお年の上」という台詞《せりふ》がある。師匠には悪いが、ここは老体のほうを見殺しにさせてもらおう。

でももし、と健はさらに考える。文楽の神さま、いや、文楽の悪魔が俺のまえに現れて、「おまえに義太夫の真髄を会得させてやる。そのかわり、ミラちゃんを殺せ」と言ったら？ ばかげた前提だが、健は数瞬、自分が迷うのを感じた。そんな自分を、得体の知れない怪物のように、恐ろしく感じた。

銀大夫の語りには、もしかしたら、と思わせる力と心情が籠もっている。俺ももしかしたら、自分にとって大切だと思い定めたものと引き替えに、だれかの命を差しだしてしまえるのかもしれない。狂気に近い昏《くら》い信念が、俺の芯を貫いているのかもしれない、と。

健は物思いを振り払った。いまはなにより、師匠の語りの技を盗むのが肝心だ。師匠の芸に少しでも近づくべく、健は銀大夫の語りに意識を集中させた。亀治の三味線が、銀大夫の間を生かしながら、冴え冴えと糸を震わせている。

気配を感じて振り向くと、「寺子屋の段」の奥《おく》を語る大夫と、兎一郎が立っていた。健は体をずらして、出番を控えた二人に場所を明け渡す。兎一郎は健に目もくれなかった。舞台に向けて、極度に集中しているのだろう。全身から、殺気に似た空気が静かに立ちのぼっている。左手に持った三味線が凶器のようだ。

拍手とともに盆がまわった。奥を語る大夫と兎一郎とに入れ替わって、銀大夫と亀治が床の裏に戻ってくる。

語り終えた銀大夫は、汗みずくだ。八十歳の老人にはきつい仕事のはずだが、目は舞台の余韻を残して煌々と輝き、楽屋へ戻る足取りはしっかりしている。いつものことながら、健は師匠の情熱に打たれた。銀大夫の芸はまだまだ磨かれ、深みへ到達しようと前進している。すぐまえを歩く老人の背中は、いくら手をのばしても届かぬ星のように遠い。

楽屋に戻り、健は銀大夫の着物の手入れをした。大夫は汗をかくので、襦袢《じゆばん》は綿《めん》百パーセントだ。足袋《たび》やポリエステルの掛け衿《えり》などは、すぐに劇場の洗濯室に出す。本羽二重《ほんはぶたえ》の紋付《もんつ》きを着るものもいるが、銀大夫は「合理的でええわな」とポリエステル派だった。

着物と裃は簡単に洗うわけにもいかないので、皺にならないよう衣紋掛けにかけ、風を通す。スピーカーからは、兎一郎の三味線と、「寺子屋」の奥を語る大夫の声が聞こえていた。松王丸《まつおうまる》が、我が子が見事に主君の子の身代わりになったと知り、泣き笑いをするところだ。健は少し引っかかりを覚え、銀大夫をうかがった。銀大夫は表情を変えず、差し入れの塩せんべいをぽりぽりとかじっている。

茶でもいれるかと立ちあがろうとして、幸大夫に制された。

「俺がやるから、おまえは仕度せえ」

健は兄弟子に楽屋仕事を任せ、隅で着替えをはじめた。出番が間近に迫っている。演目は『契《けい》情倭荘子《せいやまとぞうし》』の「蝶の道行《みちゆき》」だ。死後に蝶々になった男女が舞い踊る、という景事が、健は幻想的で好きだった。人形のこしらえも蝶柄ずくしで可憐だし、三味線の合奏も美しい。だが、三十になんなんとする男が、「綺麗な曲だから好きだ」と表明するのもはばかられる。うきうきする気持ちを押し隠し、腹帯《はらおび》を下っ腹にきつく巻きつけた。

襦袢と着物を着て帯を締め、懐《ふところ》におとしを入れる。腹にうまく力が入るよう、おとしの位置を定める。おとしは小さな枕状の重りで、健はなかに小豆と砂を入れている。おとしの重さを腹に感じると、「よし、やるぞ」と気合いが満ちてくる気がした。

裃をつけ、銀大夫と幸大夫に挨拶して、健は早めに楽屋を出た。兎一郎の三味線を間近で聞きたかった。床の裏にはすでに、一緒に「蝶の道行」を語る若竹青大夫《わかたけあおたゆう》がいた。文楽研修所で同期だったから、健は青大夫と仲がいい。目礼をかわし、隣に立った。

「兎一兄さんと組むんやって?」

と、青大夫が囁《ささや》く。

「うん」

「うちの師匠が、ひそかに悔しがっとった。『銀の字に先手を打たれた。兎一はうちの弟子と組ませようと思うとったのに』って」

大夫の長老連のあいだでも、いろんな力学が働いているらしい。健は苦笑した。青大夫には、悪気はないようだ。ほら、というように、床のほうへ頭を傾けてみせる。

「兎一兄さんの三味線は神がかっとるからな」

たしかにいま、いろは送りの弾きだしの音《ね》は、哀切に張りつめきって客席を静まり返らせていた。

出語り床から下りてきた兎一郎は、またも周囲には目もくれず、三味線を片手に歩み去っていった。すぐ横を通り抜けた兎一郎を見て、健は直感した。兎一兄さんは、いまの舞台に納得がいってないんだ。なぜだろう。青大夫の言うとおり、兎一兄さんの三味線は完璧に近い音色を奏でていたのに。

深く考える暇はなかった。「蝶の道行」がすぐにはじまる。この曲は、大夫と三味線が五人ずつ床に並ぶ。大勢で掛けあい、声と音を重ねあわせて、人形の舞踊劇を盛りあげていく。

五人の大夫のなかで、健は三番目の座布団に座った。暗い舞台裏から床に出ると、場内の明かりが目にまぶしい。客席の人々の顔はみな、次の演目への期待に満ちている。何度舞台に立っても、この瞬間の緊張と興奮は抑えがたい。

黒衣が、この演目に出演する大夫と三味線の名を呼びあげていく。

「笹本健《たける》大夫《だゆう》」

健は客席に向かって平伏した。ここまで来たらもう、精一杯の力で語るほかない。呼びあげが終わり、出演者はそろって身を起こした。健は尻ひきをうしろへまわし、両脚のあいだに入れて尻に当てた。正座した足の爪先を立てて踏ん張り、腰をやや上げて割った両膝に力をかける。

見台《けんだい》に置いてあった床本を両手で取り、拝むように顔のまえに捧げ持った。息を整えて床本を見台に戻し、表紙をめくる。

三味線の最初の一音が鳴る。墨で黒々と書かれた文字が、とたんに生命を宿したように、健の目と心のうちで踊りだす。

銀大夫がなにも言わなかったので、今日の健の舞台の出来は、まあ合格点というところだったのだろう。

「今夜はご贔屓さんと会食や」

と、銀大夫は劇場のすぐ近くにあるホテルへ帰っていった。健と幸大夫は、楽屋口で師匠を見送った。「いろいろ気ぃつかうから疲れる」とぼやいていたわりには、銀大夫は早足で去っていく。

「あの様子やと、赤坂やな」

と、幸大夫が意味ありげに囁く。健は「はあ」と曖昧にうなずいた。

銀大夫がいなくなったからといって、気を抜いてはいられない。最長老の大夫が帰ったということは、ほかのものも基本的には、出番を終えたら劇場をあとにしていいということなのだ。健は急いで、兎一郎の楽屋に行った。

兎一郎はちゃんと楽屋におり、健を見ると三味線を手に、すぐに廊下に出てきた。

「亀治さんが見張ってるせいで、迂闊《うかつ》に立ちあがることもできなかった」

兎一郎は健に三味線を預け、まずはトイレに寄った。それから連れだって稽古場に行く。机もない四畳半の部屋に向かいあって正座し、さてどうしたものかと健は思った。

兎一郎は、三の糸をしごきながら張り直した。だが準備がすんでも、音をくれる気配はない。ぼんやりと、なにかを考えているようだ。

健は稽古用の見台に、『女殺油地獄《おんなごろしあぶらのじごく》』の床本を置いた。独特の崩し字を使って、丸本《まるほん》から自分で筆で書き写したものだ。銀大夫の床本も借りて、語りかたを指示する「朱《しゅ》」という符丁も研究済みだ。これまでに聞いた「河内屋内の段」の記憶を頼りに、一人で練習を重ねてきた。銀大夫にも何度か稽古をつけてもらい、「概《おおむ》ね、まあまあ」と言われている。あとは相方の三味線となる兎一郎と、実戦に即した稽古をするばかりだ。

「あの、そろそろはじめていいですか」

と健が言うと、兎一郎は「ああ」と弾きだした。

「いえ、それは寺子屋の段の、奥のはじまりの部分ですよね」

健はおずおずと口を挟んだ。「俺が稽古したいのは、『油地獄』の河内屋内の段なんですが」

「ああ」

と再び兎一郎は言って、三味線を弾きやめた。「さっきの寺子屋、どう思った?」

「どうって……」

健は言葉を濁した。スピーカーから聞こえた大夫の語りに、少し違和感を覚えたのはたしかだ。「銀大夫師匠の語りまではよかった。だが、奥に入ってからがどうもうまくない。俺の三味線が悪いのか……」

兎一郎は健の存在など忘れたように、ぶつぶつと独り言を言っている。稽古中に滅多に口をきかない、という噂は、「稽古中に、稽古の対象となる曲をそっちのけにする」ということを意味していたのか? 健は困惑し、開いたばかりの床本を閉じた。若手の大夫に恐れられているのもわかる。だって、なんだかちょっとイッちゃってるもん。

このままでは、いつまでたっても『油地獄』の稽古に取りかかれない。どうしたものか、と健はしばらく様子を見ていたが、思いきって自分の考えを言ってみることにした。

「寺子屋って、俺はあんまり好きじゃないんです」

「俺もだ」

兎一郎は真面目な顔で答えた。「どこが泣きどころなのか、実はさっぱりわからない」

「源蔵《げんぞう》が寺子屋の生徒を、『何《いず》れを見ても山家《やまが》育ち』って言うところなんて、俺はマジで腹立ちます。若君の身代わり候補を勝手に物色しといて、なんて言いぐさだ、と」

「しかし、大夫は語らなければならないし、三味線は弾かなければならない」

「はい。それで思うんですけど、銀大夫師匠が語ると、源蔵の身勝手さが、あまり身勝手に感じられないんですよ。なんでかなあと考えてわかったのは、源蔵夫婦の心情を、うちの師匠がすごく細やかに語るからじゃないかと」

「ふうん」

兎一郎の反応ははかばかしくなかった。当たり前のことを、と言いたげだ。健はあわててつけ加えた。

「寺子屋の段は、忠義のために苦悩する男に、大夫の神経が行きがちです。でもそうすると、どうしても身勝手な人物のようになってしまう。源蔵と戸浪《となみ》、松王丸と千代《ちよ》。それぞれの夫婦が、思いやりと愛情で結ばれている、と観客に伝わるように語るのが肝《きも》じゃないでしょうか。そうすると、『ああ、忠義一本槍じゃないんだなあ。人間として苦悩してるんだなあ』と、登場人物への好感度がアップします」

「なるほど」

兎一郎の目の焦点が、ようやく健に合った。「つまり、今日の奥がぎこちなかったのは、松王丸と千代の夫婦愛を語りきれていなかったから、と言いたいわけだな」

「そこまで言ってませんけど……」

先輩の大夫を批判するつもりはない。健は首を縮《ちぢ》こめた。兎一郎は、仲間内の人間関係に配慮する気はないようだ。再び三味線を構え、

「具体的に、どこが気になった。ちょっと語ってみてくれ」

と言った。

「無理ですよ！　床本もないし、舞台でちゃんと語ったことがあるわけでもないんですから」

「暗記してるだろ。いいから、やってみてくれ」

健はしかたなく、「じゃあ」と咳払いした。

「松王丸が、身代わりで死んだ我が子を思って泣き笑いするところです。『利口な奴。立派なやつ。健気な』」

ここで健は一息詰めた。兎一郎はすかさず、テンと健の息を迎えにきた。語りやすい。健は内心驚いた。あとは三味線の音色と一緒になって地ハルに調子を上げ、「『やーつうーうやーこーこーのーつーで』」と、たっぷり語る。

「ふうん」

兎一郎が、バチを持った右手を止めた。今度の「ふうん」には、少し感心の色がこめられているようだった。

「たしかに今日の舞台では、『健気な』から『八つや九つで』に行くところが、少し流れていたな」

「はい。『健気な』で一度大夫が踏ん張らないと、あとに息がつづかないし、松王丸の嘆きの深さも出ません」

「流れるのは俺のタイミングのせいなのか、大夫が突っ走りすぎなのか……」

兎一郎は物憂げに、バチを右掌で回転させる。

「あの、そういうわけでそろそろ、『油地獄』の稽古に……」

「もう一度、いまのところを語ってみてくれないか」

「えー」

「えー、ってなんだ。不満か」

「そりゃあ……」

「よし、じゃあまずは『油地獄』を語っていい」

兎一郎は三味線を畳に置き、きっちりと正座したまま目を閉じた。

「弾いてくれないんですか?」

「ちゃんと聞いてる。遠慮なく語れ」

なんなんだ、このひと。聞いてるふりして、絶対に頭のなかで寺子屋のことを考えてるよ。健はそう思ったが、どうしようもない。右手で膝を打って拍子を取りながら、一人で「河内屋内の段」を語った。

語り終えると兎一郎が目を開け、三味線を構える。健はこれまたどうしようもなく、言われるがままに「健気なやつ」を十回ばかり繰り返す羽目になった。

気がつくと時計は九時を指していた。終演時間をとっくに過ぎ、劇場内は静かだ。『油地獄』の稽古はまったく進展していなかったが、健は楽屋で浴衣から洋服に着替え、兎一郎と一緒に地下鉄半蔵門駅に向かった。

「兎一兄さんは、どこに泊まってるんですか」

「九段下」

「俺は渋谷のビジネスホテルです」

兎一郎は個人的な話には興味がないようだ。地下鉄の階段を無視して、どんどん道を歩いていく。

「電車に乗らないんですか?」

健が驚いて声をかけると、兎一郎はまわれ右をして数歩戻ってきた。

「蝶の道行が好きなのか」

突然言われ、健が返答できないでいるうちに、兎一郎は言葉をつづけた。「ずいぶん乗って語っていた」

たしかに「蝶の道行」は好きだ。だが健は「蝶の道行」にかぎらず、舞台に出るとどんな演目でも乗って語ってしまうのだ。張り切っている自分を見透かされたようで恥ずかしかった。同時に、俺の語りをちゃんと聞いていてくれたのかと、うれしくもあった。

「兎一兄さんは、なにが好きですか」

友好を深めたいと思って聞いたのに、兎一郎はあっさりと、「特にない」と言った。健はめげずに立ち話をつづけた。

「俺は、一番はやっぱり『仮名手本忠臣蔵』です」

兎一郎が少し眉をひそめた。急に腹が痛みだしたようにも、薄れかけた記憶をたどろうとしているようにも取れる表情だった。

「『菅原』と同じ、忠義の話じゃないか」

と、兎一郎は言った。「『忠臣蔵』には腹が立たないのか」

「立ちますけど」

やけに突っかかってくるなと思いながら、健は答えた。「銀大夫師匠が語る山科閑居《やましなかんきょ》の段はすごいです。俺もいつかやってみたい」

「長生きすればできる」

兎一郎は言い、またまわれ右をして健に背を向けると、九段下のほうへさっさと歩いていった。

健は呆気にとられ、大通りを渡って遠ざかっていく兎一郎を見ていた。

銀大夫が年の功だけで「山科閑居」を語っている、と言いたいのか。何十年もやっていれば、健にもいずれは順当に大役がまわってくる、と言いたいのか。兎一兄さんの言葉は皮肉だったんだろうか、と健は考えた。だったら俺は、怒ってよかったんじゃないか。師匠を侮辱され、俺に対しても、「下手の横好きでも、塵も積もればなんとやら、だ」と言ったも同然なんだから。

だが健はどうしても、兎一郎を追いかけていって喧嘩する気にはなれなかった。兎一郎のかすれた声に苦さが含まれているのを、健の耳は敏感に聞き取ったからだ。

兎一兄さんは、皮肉を言ったつもりはないんだ。健はそう思った。「長生きすればできる」と言ったとき、兎一兄さんはなんだか苦しそうだった。苦しそうに、でも「そうなるといいな」と俺を励ます希望の色を声に乗せていた。

言葉がうまくないというか、やっぱりどうもよくわからないひとだなあ。健は首をひねりながら、地下鉄の階段を下りた。五月の夜風が、健の背中を押すように、人工の穴のなかにどっと吹き下ろす。木々の緑のにおいがした。


翌日の「寺子屋の段」の奥には、若干の改善が見られた。健はそれを床の裏で聞き、ついで「蝶の道行」の舞台に上がった。出番を終えて楽屋へ戻ると、意外にも兎一郎が待ち受けていた。

「わかったぞ」

と兎一郎は健の姿を見るなり言った。ここで「寺子屋」の話などされては、『油地獄』の稽古が進んでいないことが、銀大夫にばれてしまう。健はあわてて、

「稽古場に行きましょうか」

と兎一郎を楽屋から追い立てた。鏡台に向かっていた銀大夫がうれしそうに、「熱心やな」と言った。

稽古場で兎一郎は開口一番、

「大夫のわかりが悪いんだ」

と言った。健は「ああ」と、稽古場の戸がちゃんと閉まっているか思わず確認する。

「兎一兄さん、そういう発言はまずいです」

「なぜ」

兎一郎は平然としたものだ。「俺は『健気な』で一息詰めるよう大夫に言った。それでも、息が持たないのか我慢がきかないのか、やはり流れるんだな……」

言葉の最後のほうは、半ば独り言になっている。兎一郎が芸のことを考えだすと長い。健はそれをもうわかっていたから、兎一郎の意識を外に向けさせるために、急いで「でも」と声を張った。

「昨日よりは少しよくなってましたよ」

「少しな」

兎一郎は三味線を手に取った。「さらってみよう」

弾きだしたのはもちろん「寺子屋」だ。やっぱり駄目だったか、と思いながら、健は諦めて「健気なやつ」を繰り返した。

そのまた翌日、健が『幕開き三番叟』を眺めて気を引き締め直していると、幸大夫が呼びにきた。いやな予感がする。

売られる子牛のような気持ちで、幸大夫のあとについて楽屋へ行くと、兎一郎と亀治、そして上機嫌の銀大夫が座っていた。

「健」

と銀大夫が手招きする。健は兎一郎の隣に正座した。

「兎一郎はどうや。ええ三味線やろ」

「はあ……」

「昨日もずいぶん長く、稽古場におったそうやないか。成果がどんなもんか、聞いてやるからちょっとやってみい」

「あの、師匠」

健は意を決して正直に言った。「『油地獄』はまだ、聞いていただくほど進んでおりませんのや」

「できたところまででええ」

「いえ、あの」

健が口ごもると、銀大夫は「なんや、うぞうぞと」と顔をしかめた。兎一郎が持参した三味線を構えた。

「銀大夫師匠、お耳を汚します」

そう言って弾きはじめた「寺子屋」に、銀大夫の機嫌がみるみる悪くなっていくのがわかる。

怒りで顔色をどす黒くする師匠を見、健は「ええい、ままよ」と、

「健気な、やーつうーううやーこーこーのーつーで」

思いきり語りあげた。

「アホかー！」

銀大夫はばね仕掛けの人形のように立ちあがり、健の脳天めがけて扇子を振りおろした。予期していた健は体を傾けたが、隣の兎一郎が邪魔でかわしきれず、扇子は音高く肩を打った。

「いてっ」

「なんで寺子屋をやっとるんや」

銀大夫は仁王立ちでぶるぶる震えている。「『油地獄』をやらんかい、『油地獄』を！」

「まあまあ、銀師匠。血圧が」

亀治が銀大夫の浴衣の裾《すそ》を引く。「おおかた兎一が、健を無理やりつきあわせたんですやろ」

「そうなんか」

と銀大夫は兎一郎をねめつけた。

「はい」

兎一郎は静かにうなずく。「気になるところがありましたもので」

「寝言言うとる場合か！」

銀大夫は兎一郎を見据えたまま、健の頭を扇子ではたいた。

「いまのは俺を殴るところじゃないですやん！」

「弟子やったら辛抱せえ！」

銀大夫は鼻息も荒く、どっかと腰を下ろした。

「銀大夫師匠」

兎一郎が三味線を膝から下ろし、両手を畳についた。「大事のお弟子さんを預けてくださいまして、ありがとうございます」

健はびっくりして兎一郎を見た。銀大夫の怒りを収めるための方便かと思ったが、兎一郎はのびた背筋で、ぴしっと頭を下げている。ただ、いつもどおりの無表情なので、いまいち内心を推し量りきれなかった。

銀大夫もさすがに気勢をそがれたらしい。「やれやれ」というように、扇子で胸元を扇《あお》いだ。

「今日からは『油地獄』を稽古せえよ。ええか」

健と兎一郎は、そろって「はい」と答えた。幸大夫が肩を震わせ、亀治がにこにこと笑う。

こうして、健は兎一郎とコンビを組むことになったのだった。

二、女《おんな》殺《ごろし》油《あぶらの》地《じ》獄《ごく》

舞台稽古を終えた健《たける》は、兎一郎《といちろう》とともに、国立文楽劇場の客席後方に座った。

健が語りを担当するのは、『女殺 油 地獄《おんなごろしあぶらのじごく》』の「河内屋内の段《かわちやうち》」だ。しかも、そのうちの冒頭の部分だけだから、出番は九分半にも満たないほどだ。だからといって、気は抜けない。六月の大阪公演において、健は自分の持てるすべてを九分半にぶつけるつもりだった。

客席右手前方の出語り床《でがたゆか》では、幸大夫《こうたゆう》が「河内屋内」のつづきのシーンを語っている。三味線は、幸大夫と組むことの多い湯澤野助《のすけ》だ。二人は息の合ったところを見せ、河内屋で起こる家庭内のいざこざをテンポよく展開させる。

正面の本舞台には、油商である河内屋のセットが組まれている。不良息子の与兵衛《よへえ》が、父親を踏みつけ、病気の妹を泣かせと、好き放題の振る舞いをする場面だ。一体の人形を三人がかりで遣《つか》うから、舞台は人形遣いでひしめく。だが、黒衣姿の人形遣いが、芝居の邪魔になることはない。幸大夫の語りに乗って、人形はいきいきと、それぞれの情感と思惑を表現する。

登場人物に対する解釈に、幸大夫と自分とでずれはないか。健は本舞台に目をやったまま、幸大夫の語りに耳を傾けていたが、思わず感嘆のため息をついた。大夫と三味線は、初日を迎えるまでに何度も一緒に稽古する。しかし、大夫と三味線に合わせて、人形遣いが実際に舞台で人形の動きを確認するのは、舞台稽古の一回だけだ。

健は隣の席の兎一郎に囁いた。

「いつ見ても、人形のひとたちはすごいですね。三人で遣ってるのに、どうして一回の稽古であんなに大夫の語りに合わせられるんでしょう」

「プロだからだ」

と、兎一郎は平然と返す。「それより、さっきのきみの語りはなんだ」

「まずかったですか」

「悪くはないが、よくもない。少し練りがたりないな」

それは兎一兄《にい》さんが「寺子屋」ばっかりやったせいで、稽古の時間がたりなくなったからのような気がします。健はそう言いたかったが、我慢した。兎一郎の三味線は、悔しいがケチのつけようがない。世話物《せわもの》の軽快さと、悲劇を予感させる不穏さの宿る音色が、健の語りを引っ張ってくれる。健も、兎一郎の三味線にもっと食いついていかなければいけないと思っていたところだ。

練りがたりないのは、どういう部分だろう。健は舞台稽古に意識を集中させた。本舞台では与兵衛がふてくされ、座敷の柱にもたれて立っている。懐手《ふところで》をし、右脚に重心をかけ、左脚を軽く曲げたその姿。健はハッとした。放蕩ぶりを両親から責められ、鬱屈をぶちまけたいようにも、ただ開き直っているだけのようにも見える全身から、青臭い若さが迸《ほとばし》っていた。

「なんか色っぽい……？」

健はつぶやき、与兵衛から滴《したた》る色気の原因を探った。脚だ。脚の角度が、与兵衛の若さゆえの繊細さとふてぶてしさとを、絶妙に表現している。

「世話物の主人公の男の、一番魅力的な部分はなんだと思う」

健のつぶやきを聞きつけたのか、兎一郎が問いかけてきた。いきなり核心に触れる質問だ。健はやや緊張して答えた。

「世間や人間関係に追いつめられていく切迫感でしょうか」

「解説書じみた説をありがとう」

兎一郎は唇の端に冷笑を浮かべた。「きみは恋をしたことがあるか？」

「そりゃありますよ」

「恋愛で男が要求される、一番大切なことは？」

「……優しさですかね」

「馬鹿か、きみは」

今度の兎一郎の笑いは、もはや嘲笑に近かった。「たいがいの男は、自分を優しいと思ってるものだろう。それなのに恋がうまくいかないことが多いのは、もっと大事なことがほかにあるという証拠だ」

「それはなんですか？」

「色気だよ」

「えー」

「はっきり言えば、セックスのうまさだ」

「ええー」

健は座席でのけぞった。「そんな単純で即物的なことじゃないような……」

「セックスは単純でも即物的でもない」

兎一郎はやけにきっぱり言いきった。「たいていの女は、男の仕草や言葉から、そこを透かし見ている」

「どんな女とつきあってきたんですか」

健はあきれて問うたが、兎一郎はそれには答えなかった。

「世話物の男は優柔不断で、見ていて腹の立つようなやつばかりだ。登場する女たちが、それでも主人公の男に惚れている理由はただひとつ」

「セックスのうまさですか」

「そう。うまそうだからだ。色気があるからだ。『油地獄』の与兵衛は例外的に、ちょっと下手そうだがな」

兎一郎の弁を、健はいちおう真剣に聞いていたが、そこでがっくりと脱力した。

「与兵衛が例外なんじゃあ、セックス説は『油地獄』を語るうえでの参考にはなりませんね」

「なる。『油地獄』のポイントはそこだ」

「どこです」

「与兵衛とお吉《きち》は、恋愛関係にない。与兵衛には生来の色気はあるが、本当に惚れた女を抱いたことがないから、セックスはまだそんなにうまくない。この二点を頭に置いて、公演中も人物像を練りつづけろ」

兎一郎は立ちあがり、さっさと客席のドアを開けてロビーに出ていってしまった。健は『油地獄』の舞台稽古を最後まで眺めた。

わずかな金を手に入れるため、与兵衛はお吉を刺し殺そうとする。お吉は豊島屋《てしまや》のなかを必死に逃げまどう。油まみれになった両者の壮絶な攻防が、舞台上で繰り広げられている。「お吉が身を裂く剣《つるぎ》の山、目前《もくぜん》油の地獄の苦しみ」と息もつかせず畳みかける義太夫の語り。破綻寸前まで緊迫した三味線の音。生と死の狭間で向きあう男女の人形の、ぬめりを帯びて青白くほの光る呼吸。

それを見る健の脳裏は、「わからない」という言葉で埋めつくされた。わからない。なぜお吉は、近所の放蕩息子である与兵衛に親切にしてやった。なぜ与兵衛はお吉を殺す。それよりなにより、世話物の肝は本当に、兎一郎が言ったように「色気」なのか？

健は不安でならなかった。初日は明日に迫っているというのに、なにもかもがわからない。兎一郎の「セックス説」のせいで、混迷が深まったようだ。

悄然として楽屋の通路を歩いていると、与兵衛の足を遣っていた檜竹十吾《ひだけじゅうご》と行き合った。健は藁《わら》にもすがりたい気分だったので、二歳年下の若い人形遣いを呼び止めた。

「十吾、さっきの与兵衛の足、めっちゃよかったやん」

十吾は童顔をほころばせ、「ほんまですか。うれしいなあ」と健に近づいてきた。

「ああ、ちょっとぞっとするほど色気があったで」

「東吾《とうご》師匠の指導がええからですわ」

十吾は無邪気に、師匠への信頼を表明してみせた。与兵衛の主遣《おもづか》いを担当する檜竹東吾は、ベテランの域に足を踏み入れつつある、有望な人形遣いだ。はじめて取った弟子の十吾を、「勘がええし、よう気ぃもまわる」と、とてもかわいがっている。

「東吾兄さんは、与兵衛の役柄をなんて言うてはる？」

「女にモテそうなヤンキーを参考にしろて」

「はあ？」

「与兵衛て、外ではそこそこ人当たりよくて、家ではぶすくれとる不良息子ですやろ。でも、純粋なところもある」

「うん」

「『そういうのにかぎって、早くに結婚してぽこぽことガキをこさえるんや。ちょっとのきっかけで心を入れ替えて、親にも孝行してな。いまで言うヤンキーや』って、うちの師匠が。それで俺、だるそうに町でたむろっとるやつらを観察して、足遣いに取り入れたんですわ」

「そ、そうなんか」

健はこめかみを揉んだ。「せやけど、おおかたのヤンキーは、近所の親切な主婦を殺したりせんやろが」

「そりゃ、しませんわな」

十五はけらけら笑った。「そこらへんの難しいことは、俺にはわからしまへん。東吾師匠の動きを感じて、ついていくだけで精一杯や」

「うん、そやな。十五は充分やっとる」

登場人物の心理を考えるのは、まず第一に大夫の務めだ。やっぱり肝心なのは色気、「女にモテそう」ってことなのかなあ。健は十五と別れ、首をひねりつつ楽屋の暖簾をくぐる。

楽屋では銀大夫《ぎんたゆう》と亀治《かめじ》が茶を飲んでいた。

「あきまへんで、銀師匠。最中《もなか》はひとつだけて言うたやないですか」

「こないに小さいもん、ひとつでも二つでも変わらんがな」

「こないだ調べた血糖値、おかみさんからちゃんと聞いとりますで」

あいかわらず仲がいい。健は楽屋を見まわした。

「あの、幸兄さんは」

「トイレや」

差し入れの最中の箱を銀大夫から遠ざけ、亀治は心配そうに表情を曇らせた。「腹が痛いんやて」

「そうですか」

健は自分の鏡台に向かい、『油地獄』の床本《ゆかほん》を広げた。ともに「河内屋内の段」を語る、幸大夫の意見を聞きたかったがしかたがない。行間などなくなるほどに読みこんでやる。そう意気込んで文字を追いはじめたが、迷いに曇った心は感度が鈍り、文字はいつまでも文字のまま。与兵衛の声もお吉の声も、まったく聞こえてこなかった。

鏡台のまえで正座し、硬直したきりの健を怪訝《けげん》に思ったのだろう。

「どないした」

と亀治が優しく声をかけてきた。

「いえ、なんでも」

と答えようとして、健は顔を上げた。鏡のなかで、亀治と目が合う。思いきって、体ごと亀治に向き直った。

「気になることがありますねん」

亀治の目を盗み、最中の箱に手をのばしかけていた銀大夫が、びくっとして姿勢を正した。

「急に大声出すなや、粗忽者《そこつもん》が」

「すんません」

と健は銀大夫に謝った。亀治は最中の箱を自分の膝のうえに隔離し、

「言うてみい」

とうながす。

「与兵衛は、なんでお吉を殺したんですやろ」

「なんで、て……。殺してしもたことに、なんでもなにもあるかいなあ」

と、亀治はおっとりした動作で腕組みし、

「その場の勢いとちゃうか」

と、銀大夫はあっさり言った。健はその日二回目の、のけぞりたい気分に陥ったが、師匠のまえなのでぐっとこらえた。

「勢いでひとを殺せますか」

「勢い以外の、なにでひとが殺せるんや」

銀大夫の視線は、亀治が手を添える最中の箱に釘付けだ。「幸大夫を見てみい。ウンコしたかったら、急いで便所行くやろ。それと同じじゃ」

絶対ちがう。健はがくりと畳に手をついた。

「幸兄さんは、『腹痛いなあ』と思いはったわけですよね。俺が知りたいのは、その部分で……」

「修業がたらんで、健」

銀大夫はやっと視線を健に向けた。「すぐに動機や心理を考えるんは、悪い癖や」

「あきまへんですやろか」

「あかんあかん。いちいち小難しいこと考えて、女を好きになるか？　複雑な理由があって、飯を食うか？　ちゃうやろ。食いたいから食う！」

銀大夫は宣言どおり、素早く箱から最中をかすめ取って口に放りこんだ。

「あっ、出しなはれ！」

亀治が銀大夫の頬を引っ張った。銀大夫はめげずに咀嚼《そしゃく》をつづけ、最中を飲み下す。このひとに聞いても詮《せん》ないことだったか。健は恨めしい思いで、師匠の顔を眺める。

「いくら考えても、最中の味はわからん。実際に身の内で感じることやな」

欲望に忠実に、奔放に生きる銀大夫は、満足そうに冷めた茶をすすった。


夜になっても雨はあがっていなかった。

国立文楽劇場を出た健は、千日前通りを谷町筋へ向けて歩いた。傘を叩く雨音のひとつひとつが、三味線の手のように聞こえる。それに合わせて、詞章《ししょう》を口のなかでぶつぶつと語った。すれちがうひとが、ぎょっとした視線を向けるのがわかったが、気にしている場合ではない。明日には舞台の幕が開く。

梅雨時の大阪は、町全体がなまぬるい水のなかに沈む。谷町筋を南下し、生玉寺町《いくたまてらまち》の裏通りに入ったころには、直接雨に当たったわけでもないのに、Tシャツがしっとりと湿り気を帯びた。

「ラブリー・パペット」は、今夜もけばけばしいネオンを灯していた。入口の脇には、「只今満室」の札がかかっている。

建ち並ぶ寺の狭間に、ラブホテルがぽつぽつとある生玉寺町の光景は、何度見てもシュールだ。だが、健の友人の小野寺誠二《おのでらせいじ》は、

「墓に囲まれてセックスするのは、理にかなっとる」

と笑う。「生きてるからこそ、死ぬことができるんや。寺もラブホも、死を扱うのに変わりないやろ。担当するんが、おっきな死かちっちゃな死かのちがいだけや」

そんなものかな、と健は思っていたが、連日盛況なラブリー・パペットを目にするうちに、誠

二の言葉を認めざるをえなくなった。生者は小さな死を味わうのに熱心で、ラブホテルのロケーションなどたいして気にしない。墓の下の死者たちはいたって静かで、無害なものだ。どうせいずれはお仲間になると、余裕の沈黙なのかもしれなかった。

健は傘を畳み、自動ドアからなかに入った。手もとしか見えない受付の磨りガラスの下部に、誠二の目が覗いた。

「おかえり。手紙来てるで」

「さんきゅ」

すべり出てきた数通の葉書を受け取り、薄暗い廊下を進む。ダイレクトメールばかりだ。さびしい生活だな、俺も。健は嘆息し、一階の一番奥のドアを開けた。

ベッドばかりが目立つ室内で、わずかに覗く床は煤けた赤い絨毯敷きだ。壁の一面は鏡張り。ベッド以外でかろうじて家具と言えそうなのは、冷蔵庫と窓際に置いたカセットコンロとプラスチックの小さな衣装ケースぐらいだ。

錆びついた押しだし式の窓を細く開け、湿った風を室内に入れる。喉が乾燥するから、なるべくエアコンは使わないようにしていた。辛《から》いものも食べない。カセットコンロに小鍋をかけて湯を沸かし、無難にしょうゆ味のインスタントラーメンをすすって、夕飯を終えた。

誠二はよく、「ほんまに芸道バカ一代やな。包丁とまな板ぐらい買《こ》うたらどうや」と、あきれて言う。百円ショップをひやかしてみようか、と健も思うのだが、稽古と公演に明け暮れるうちに、いつも忘れてしまう。三食を劇場の食堂で済ますことも多いし、大阪公演のあいだは、銀大夫の妻の福子《ふくこ》が健を自宅に招き、手料理をご馳走してくれたりもするからだ。

なにも必要ないのだ。包丁もまな板も、余計な服もちゃんとした住処《すみか》も。健が心から欲しいと願っているのは、形のあるものではなかった。

健はラブリー・パペットでの暮らしに満足していた。部屋代は誠二のおかげで破格の友人値段だし、公演で留守にするあいだも、管理に頭を悩ませる必要がない。なにより、大声で義太夫の稽古をしても、滅多に苦情が出ないのがいい。

ガラスですけすけのシャワーブースにも、もう慣れた。汗を流してさっぱりすると、さっそく風呂敷をほどいて床本を取りだす。絨毯に正座し、ベッドに床本を置いて、健は背筋をのばした。

与兵衛は、近所の若者たちとは距離を置いている。信心も、両親の心配も、あほくさいと撥《は》ねのける。でも、周囲から本気で嫌われてはいない。いまはやんちゃが過ぎるが、そのうち落ち着くだろうと、友だちも家族も思っているみたいだ。どうして与兵衛は、みんなに構われ、愛されるんだろう。そこが、放っておけないような与兵衛の愛嬌、つまり色気のなせる業なのか。

いや、それだけじゃないはずだ。健はそう思う。与兵衛の言動の裏には、彼を見捨てない周囲の人間の心情には、もうひとつ隠されたなにかがある。知りたい。俺は感じたい。与兵衛を、与兵衛を取り巻く人々を、彼らに託して近松門左衛門が表現しようとしているなにかを。

できることなら、つれていってほしい。現代の心と感覚を宿した俺を、三百年前の大坂の町へ。そこで生き、死んでいった人々の生活のなかへ、どうか俺をつれていってくれ。健は熱情をこめて、義太夫の詞章を丁寧に語りつづけた。

枕元の小卓で、クリーム色の電話が鳴った。江戸時代の大坂には似つかわしくない音に、健はめまいを覚えて室内を見渡した。電話のまえに這っていきながら、状況を確認する。ここはラブリー・パペット。俺は大坂の町人じゃなく、文楽の大夫。よし、大丈夫。ちゃんと現実に戻ってきてる。

「ちょっと手伝ってもらえへんか」

と、受話器の向こうで誠二が言った。

「すぐ行く」

と答え、健は部屋を出た。

狭い待合いスペースには、二組の男女が所在なげに座っていた。「関係者以外立入禁止」と書かれた合板のドアを開けると、受付の内側では、誠二がひっきりなしに鳴る電話の応対に追われているところだった。

「ご宿泊に変更、了解しました。ごゆっくりー」

「配達が遅れるってなんでや。ああん？　かまへんかまへん、載ってるのがサラミでもソーセージでも客は気にせえへんがな。作ったんならちゃっちゃと持ってこい。給料日のあとの金曜ちゅうたら、こっちは書き入れどきやで。部屋の回転悪くしたら、どつくどボケ」

その合間にも猫なで声で、「お待たせしました。エレベーターで三階に行って、廊下左手奥の三〇四号室へどうぞー」と、磨りガラスの下からキーを出す。

誠二に視線で指示され、健は受付の隅にしゃがんだ。ずらりと並んだボトルに、シャンプーやローションを補充するのだ。やっと受話器を置いた誠二が、灰色の事務用椅子を軋ませた。

「悪いな、健。さっき内線入って、『変なうなり声みたいなのが聞こえるんですけど』て、客からクレーム来たんや」

「あ、そういえば窓開けたままやった」

「『義太夫ですがな』言うても、ちょっとも通じんくて」

「そうやろなあ」

「その客が出るまで、ここにおってくれんか。今夜は忙しくて、一人じゃよう手がまわらへんし」

「うん、ええよ」

業務用の巨大ビニールパックから、漏斗《ろうと》を伝ってどろりとした液体がボトルに落ちる。安っぽく甘ったるい匂いが受付に充満した。

「減りが早いやろ。儲かってたまらんわ」

と、誠二はにやにやする。健はやるせなくボトルを電灯にかざした。

「俺には色気ってもんがわかんねえ。なのになんで、ひとはこんなにまぐわってるんだ」

「まぐわう、て……」

誠二はあきれ顔になり、やってられんと磨りガラスに向き直る。「健、なんかモヤモヤしとるんか?」

「しとる」

番を組み立てた。

「どっかで一発抜いてこいや」

そういうモヤモヤじゃなくて、と健は言おうとしたが、誠二はすでに、「はい、ラブリー・パペットですー」と受話器を取っている。健は受付表をたしかめ、空室に効率よくボトルを配る順番を組み立てた。


公演がはじまって一週間経っても、健は『油地獄』の語りに確信を持てなかった。モヤモヤを凝集させて、もう少しで与兵衛という人物をつかみ取れそうなのに、最後の決め手が見つからない。いつまでも固まらないゼリーみたいに、与兵衛は健のなかで形を成さずにたぷたぷ揺れる。

もちろん、床《ゆか》に上がるときの情熱はだれにも負けていないつもりだし、語りの集中力が途切れることもない。まだ駆けだしとはいえ、健にもプロの技芸員としての意地と誇りがある。ほとんどの観客は、健のあせりに気づかず、舞台を楽しんでいるだろう。

だがさすがに、先輩たちの目と耳はごまかせない。銀大夫はなにも言わなかったが、健の出番には必ず楽屋にいるらしい。

「スピーカーから流れる声を聞いてはるんや。師匠はおまえを気にかけとるで」

幸大夫にそう教えられ、健は黙って頭を下げた。幸大夫はまた、「あせったらあかん」とも言った。

「同じ演目を三公演やって、ようやく自分のものになる言うぐらいや。おまえはちょうど、はじめて当たる演目がつづく時期が来とる。じっくりやればええ」

助言をくれるなんて、めずらしいこともある。兄弟弟子の間柄だが、芸に厳しい幸大夫は、ふだんはあまり健と馴れあおうとしない。健は幸大夫をうかがった。

「幸兄さん、どないしたんですか。まだ腹痛《はらいた》が治らんのですか」

「かわいないやっちゃなあ。素直に好意を受け取らんかい」

気さくな亀治も、さりげなく健に探りを入れてきた。

「健、なんか迷うとるんか？」

内心の揺らぎが、そんなに芸に出てしまってるんだろうか。健は情けなく思いながらも、穏やかな亀治に対しては正直に答えた。

「与兵衛がちょっとわからんのです。兎一兄さんに、『世話物の男の魅力は色気だ』って言われて、混乱してしまいました」

「兎一が自分の解釈をだれかに伝えるやなんて」

亀治は笑顔になった。「ほんまに健を気に入ったんやなあ」

その点に関しては、健はおおいに疑問だった。たしかに兎一郎とは、いまのところ思ったよりもうまくやっていけている。稽古したいと言えば、兎一郎はすぐに時間を割いた。役柄についても、間《ま》や節《ふし》まわしに関しても、健が問えば、兎一郎はいつでも知るかぎりを教え、一緒に考えてくれた。

けれど並んで床に上がると、兎一郎は遠慮も容赦もなかった。健の語りに少しでも甘いところがあれば、兎一郎の三味線は支えるふりで抉《えぐ》りこんでくる。ときに挑発し、ときにせっつき、ときに暴れ馬をなだめる手綱となって、兎一郎は音色で健をいいように操ってみせた。リードを取られてばかりではおもしろくないから、健も必死だ。九分半に満たない出演時間は、互いのプライドを賭けた決闘の場と化した。健と兎一郎は毎日、汗だくになって床を下り、無言でそれぞれの楽屋に引きあげた。

「なんなんですやろ、あのひと。俺に恨みでもあるんかっちゅうぐらい、えげつなく突っかかってきよるんですわ」

浴衣に着替えながら、健がこらえきれず愚痴をこぼすと、銀大夫は老眼鏡越しに思わせぶりな視線を寄越した。

「えげつないんやない。そういうのは、『悪女の深情け』ちゅうんや」

「それ、意味まちごうとりませんか師匠」

「三味線弾きを大切にせずに、大成した大夫はおらんで健」

銀大夫は「ふっふっ」と笑い、亀治の楽屋に遊びにいってしまった。

銀大夫の言うとおり、深情けな術中にはまりつつあるのかもしれない。舞台の興奮が冷めると、健はまた、兎一郎と稽古したくてたまらなくなってくる。兎一郎の音色に乗せて、語りを追求せずにはいられなくなる。

ずっと『油地獄』のことばかり考えているせいで、健は上の空で日常生活を送った。新津小学校へ義太夫指導に行っても、膝を打って取る拍子からして乱れがちだ。『寿式三番叟《ことぶきしきさんばそう》』を教えているのに、突如として「御油仲間《おんあぶらなかま》の山上講《さんじょうこう》、俗体《じゃくたい》ながら数度《すど》のお山」などと、「河内屋内の段」の詞章を語りだしてしまう。

「健せんせ、マジメにやってぇ」

ミラちゃんに何度も怒られ、健は謝りっぱなしだった。

「岡田さん、そないに責めたらあかん」

と、藤根先生がミラちゃんをたしなめた。実技指導のときには、藤根先生がいつも同席し、健と生徒たちのやりとりを優しく見守っている。

「健先生はいま、一生懸命公演しとるところなんやから」

三十代半ばらしい藤根先生は、新津小学校で三年二組の担任をしている。ミラちゃんは藤根先生のクラスだ。藤根先生は清楚な感じの美人で、健は会うたびに、「疎開物の映画に、教師役として出てきそうだな」と思う。

「公演て、なにをやってるの?」

ミラちゃんの質問に、十人ほどいるほかの生徒たちも興味津々で、健のほうに身を乗りだしてきた。

「『女殺油地獄』っていう作品」

「見たい!」

ミラちゃんが間髪入れずに手をあげ、教室中が見たい見たいの大合唱になった。

「いや、小学生にはちょっとどうだろう」

「どんな話なん？」

「油でぎとぎとになりながら、若い男が女を殺す話」

小学生たちは甲高い声で、「気色悪いなあ」「そう？　むっちゃおもしろそうやん」としゃべりまくる。藤根先生は口を挟まない。いよいよ収拾がつかなくなったところで、

「はいはい、健先生の帰る時間が来てしまうやん。稽古はせんでええの？」

と、やんわり軌道修正するだけだ。健はミラちゃんに、

「いい先生やな」

とこっそり言った。健の一番弟子を自認するミラちゃんは、くすぐったげに笑い、

「健せんせ、甘いなあ」

と耳打ちで返した。「だまされたらあかん。藤根せんせは、ほんまはすごーく怖いとこあるんやで」

うわー、と健は思った。小学三年生の女の子に、甘いって言われた。やっぱり俺、世話物を語るのに不向きなのかもしれない。

それから実技指導のあいだじゅう、健はまたぐるぐると男女の機微について考えつづける羽目になった。

小学生パワーに気圧《けお》され、憔悴して劇場に戻る。夜の部は、『女殺油地獄』の「徳庵堤《とくあんづつみ》の段」の中盤に差しかかっていた。次が「河内屋内の段」だ。健は急いで楽屋に向かう。昼のうちに出番を終えたにもかかわらず、銀大夫はその日も残ってくれていた。自分に対する師匠の期待を感

じ、健は疲れを忘れた。

手早く着替えて床の裏へ行くと、兎一郎が待ちかまえていた。

「幸大夫さんは体調がよくないんじゃないか」

「今日は俺、幸兄さんとろくに顔合わせてないんですが、どうして？」

「さっきトイレで、げーげー吐いてた。軽い食中《しょくあた》りだと言っていたが……」

兎一郎は、いつもなら出番の前後は石のように黙りこくっている。床の裏で健に話しかけてくるぐらい、幸大夫の具合が悪そうだったということだ。健はすぐに楽屋に取って返したかったが、休憩の終わりを告げるブザーが鳴っている。

あとはもう床に上がって、夢中で語るしかない。語る途中で、盆の裏側に重みがかかるのがわかった。次が出番の幸大夫と野助が、盆に乗ってスタンバイしたのだ。じゃあ、幸兄さんは大丈夫だったのか。

気がかりがあるせいで、健の意識はあちこちに飛ぶ。兎一郎が、ことさら正確かつ厳格にバチを振るってくれなかったら、もっと散々な出来に終わっていただろう。

盆が回転し、床を下りても、反省したり自己嫌悪に陥ったりしている暇はなかった。床で語りはじめた幸大夫の声が、明らかに張りを欠いていたからだ。健は楽屋にすっとんでいき、

「師匠！」

と叫んだ。銀大夫は「うおっ」と言って、畳から身を起こす。寝てたんだ、このじいさん。俺の舞台なんて聞いちゃいねえ。だがいまは、そこを糾弾しているときではない。

「幸兄さんの様子、変じゃなかったですか」

「……変、だったかな？」

「見てなかったんですね」

「うん。うたた寝しとった」

肝心なところで。健は頭を掻きむしりたくなった。

「聞いてください」

とスピーカーを指す。いつもより声量の乏しい幸大夫を、盛り立て励ますように野助の三味線が支えていた。

「兎一兄さんが言うには、幸兄さんはトイレで吐いてたそうです」

「拾い食いでもしたんかいな」

「一週間以上まえから、腹具合が悪いって言ってたでしょう。食中りにしてはおかしいですよ」

銀大夫はしばし、スピーカーから流れる弟子の声に耳をそばだて、

「まあ落ち着け、健」

と言った。「よっぽどのことがないかぎり、一度舞台に上がったもんを引きずりおろすことはでけんわな」

銀大夫はすっくと立ちあがり、衣紋掛けから自分の着物を取った。無言で着替えはじめた銀大夫を、健も無言で手伝う。銀大夫はいざというときに備え、床の裏で待機するつもりなのだ。弟子のかわりに、すぐ床に上がって語りつづけられるように。

楽屋を出かけて、銀大夫は健を振り仰いだ。

「さっき、関西なまりやなくなっとったで。すぐ動揺しよってからに、未熟者めが」

扇子で眉間を軽く叩かれた健は、「すんません」と言った。舞台での異変を察知し、楽屋の廊下はざわついていた。そのなかを足早に進む銀大夫の背中が、頼もしく見える。

あとを追って歩いていた健は、楽屋口で足を止めた。健と同じく、まだ肩衣をつけたままの兎一郎が、文楽劇場には縁のなさそうな年の女の子と対峙している。

「笹本さんはいますか」

と女の子ははきはきと言い、

「ここは笹本さんだらけだ」

と兎一郎はそっけなく言った。

「ミラちゃん!」

健は驚いて二人に走り寄った。幸大夫のことが心配だし、師匠の銀大夫を放っておくのもまずいが、せっかく訪ねてきた小学生を無視するわけにもいかない。

「どうしたの?　一人で『油地獄』を見にきたんか?」

「ううん」

健の顔を見て、ミラちゃんはほっとしたようだった。「今日なあ、お母さんの帰りが遅くなるみたいなんや。一人で待っとるのさびしいから、ここにおってもええ?」

かまわないよと言おうとして、健は言葉に詰まった。幸大夫の様子がわからないいまは、タイミングが悪い。これから混乱するかもしれない楽屋に、健の一存で部外者を入れるのはためらわれる。

健の逡巡を見透かしたのか、

「靴はそこの下駄箱に入れる」

と兎一郎が突然言った。ミラちゃんは言いつけどおり靴を脱ぎ、楽屋の廊下に上がった。

「この子のことは、楽屋に案内しておく」

愛想笑いのひとつも浮かべず、兎一郎は「こっちだ」とミラちゃんを手招きする。健を見上げたミラちゃんが、

「あのひとだれ?」

と尋ねた。

「鷺澤《さぎさわ》兎一郎さん。俺と組んでる三味線のひとだよ」

「ふうん。クールでかっこいい」

ミラちゃんはちょっと肩をすくめ、少し離れた場所で待っていた兎一郎と一緒に、廊下の角を曲がった。

うわー、わかんねえ。年齢に関係なく、女って謎だ。健は頭を一振りし、今度こそ床の裏へと走った。

幸大夫は「河内屋内の段」を語りきり、そのまま救急車で病院に運ばれた。付き添った野助か

らの電話を終え、健は楽屋に集《つど》った面々に報告した。

「盲腸だそうです」

兎一郎は帰り仕度を済ませ、戸口の近くに座っている。ミラちゃんは重苦しい楽屋の雰囲気に気後れしたのか、最前から銀大夫の座布団のうえでおとなしく体育座りしている。銀大夫はそんなミラちゃんに、「釣鐘まんじゅう食べぇ」と熱心に勧めている。

「そうか」

と亀治が肩から力を抜いた。「盲腸でよかったと思わなならんとこやけど……、切るんか?」

この楽屋で、常識的な形で幸兄さんを心配できるのは、亀兄さんだけらしい。健は心強い味方を得た気持ちで、亀治に向かって説明した。

「けっこう我慢してはったみたいで。薬で散らすのも限界があるから、時間があるときに切ったほうがええそうです」

登場人物が切腹する話は語れても、自分が開腹手術されると想像するだけで健は震えがくる。下手に手術して、万が一、腹に力が入らなくなりでもしたら、大夫は終わりだ。師匠のコネを総動員してでも、幸兄さんにはいい病院といい医者を手配しなければ。

健は手術に向けての段取りを考えたが、銀大夫はもっと目先のことしか見ていなかった。

「今回の公演には、いつごろ復帰できるんや」

「薬がきいて、落ち着くのを待つから、三、四日後らしいです」

「ほな、そのあいだは健、おまえが河内屋内の段を全部語れ」

「えー！」

驚きのあまり、健の声は裏返った。「九分半でもいっぱいいっぱいなのに、全部なんて無理ですよ！　だいいち、野助兄さんが納得せえへんでしょう」

「野助は、あれでなかなか頑固やから。ほかのもんとは組みたがらんやろな」

と、亀治がおっとりとうなずく。

「健かて、兎一郎以外とやりたくないやろ」

と、銀大夫は健の意思を慮《おもんぱか》らない発言をした。「もちろん、三味線も代役を立てるんや」

「そんな急に。困りますよね、兎一兄さん」

健は戸口を振り向く。「って、逃げた！」

兎一郎はすでに姿を消していた。

「急やない代役なんてあらんがな。はい、決まり」

銀大夫は強引に話を切りあげにかかる。健は孤立無援の状態で、最後の抵抗を試みた。

「師匠がやってくれはったら、舞台は完璧になりますやん。今日やって、幸兄さんの代役を務めようとしはってたし……」

「おまえは、年食った師匠に死ね言うとるんかー！」

銀大夫の怒りの扇子が、健の脳天で炸裂した。「俺は午前の部で、葛《くず》の葉《は》子別れを語っとるんやぞ。そのうえ河内屋内もやれとは、どういう了見じゃ、こら！」

こんなときだけ、老人ぶる。健は畳に両手をつき、

「精一杯務めさせていただきます」

と言うしかなかった。

「ところで、この子はどこの子や？」

亀治が穏やかにミラちゃんに視線を移す。そうだった、と健はあわてた。騒動に取り紛れていたが、もう十時を過ぎている。

「ミラちゃん、お母さんは？　ミラちゃんが家におらんから、心配してんねやないか」

「かけてみる」

と、ミラちゃんはスカートのポケットから携帯電話を出した。

劇場内は電波状態が悪いので、健はミラちゃんと表に出ることにした。帰宅する銀大夫と亀治とは楽屋口で別れ、携帯を耳に押し当てるミラちゃんに、傘を差しかけてやる。

「まだみたいや」

と、ミラちゃんは言った。

「家はどこ？　送ってく」

「近いねん。瓦屋町《かわらやまち》」

健はミラちゃんと連れだって歩きだした。ミラちゃんは紺色のスニーカーで、水たまりをものともせずに歩を進める。赤い傘が、健の肩先でくるくるまわった。

「学校から、一回家に帰ったんか」

「うん。ランドセル置いて、晩ご飯もチンして食べた。冷蔵庫に、お母さんは仕事で遅くなる、ってメモ貼ってあったから、劇場に行ってみたんや」

ミラちゃんは傘を傾け、大人びた口調で言った。「迷惑やった？」

「全然。相手できへんで、悪かった。今度また、ゆっくり遊びにくるとええ。俺よりもっともっとうまいひとの義太夫を、ぎょうさん聞けるで」

「うん」

うれしそうな声と一緒に、赤い傘が上下した。

千日前通りから高津に入る細い道へと、子どもの歩調に合わせてゆっくり折れる。ミラちゃんはぽつりと、

「健せんせ、おじいさんに怒られて楽しそうやったね」

と言った。

「それは見まちがいやと思うけど」

「文楽のお仕事、楽しい？」

健は少し考える。

「つらいこともある。けど、やめられんな」

「うちもや。義太夫、やめたくない」

「やめんでええやんか」

健は不思議に思って言った。「小学校を卒業するまでやって、そのあともつづけたかったら、劇場に来たらどうや。教えたる」

「でも、やめなあかんときが来るやろ。うち、女やもん。女は舞台に立てんのやろ」

その瞬間、健の脳裏にひらめくものがあった。そうか、これだ。ここから俺は、与兵衛という人間に迫ることができる。

ようやくつかんだ手ごたえのある尻尾を、すぐさま引き寄せたかった。だが、ミラちゃんの哀しみを捨て置くことはできない。

「あのな、ミラちゃん。女流義太夫っていうのもあるんや。女のひとかて、プロになって、ずっと義太夫を語っていくことができるんやで」

「健せんせと、おんなし舞台で語れるん？」

「あー、同じ舞台は無理かな。ほら、歌舞伎役者や相撲取りは、男しかいないやろ？　義太夫も、男女別々にやるって決まってるんや」

「なんで？　変な決まり」

「うーん、そうかもね」

と健は苦笑した。頭のなかでは、もう与兵衛のことを考えている。

与兵衛の母方の一族は下級武士だ。だが与兵衛は、侍にはなれない。油屋の子に生まれたら、油屋になるのは決まったも同然な社会だからだ。

たぶん与兵衛は、息苦しかったんだろう。

河内屋は、侍と商人という二つの身分が交わっている場所だ。江戸時代の身分制度が凝縮した場所。侍も商人も、それぞれ細かな階層にわけられていて、すべては生まれついた家柄で決まる。

与兵衛の兄は従順に油屋になったけれど、与兵衛はそれを拒んだ。信心も孝養も蹴散らして、全部に否と言おうとした。

　健は熱がこみあげるのを感じた。思考と感情がめまぐるしく体じゅうをめぐる。

　そうだ、与兵衛の魂は自由を求める。その輝きが、周囲のひとたちを惹きつける。与兵衛の無軌道に、親もお吉も近所の住人たちも、あきれながらも憧れる。見かけ倒しの、青臭い反逆だとうすうす勘づいていても、与兵衛を見捨てず、愛した。

　与兵衛には色気がある。与兵衛は親切な近所の主婦を勢いで殺す。それはそのとおりだろう。でも、この話の肝はべつの部分にある。お吉が殺される「豊島屋油店《あぶらみせ》の段」ではなく、「河内屋内の段」で、一番大事な主題が展開している。

　健はついに、確信を抱いた。近松門左衛門は『女殺油地獄』で、あらかじめ定めづけられた生への疑問を、描きたかったんだ。

たとえばいま、女だから俺と同じ舞台に立てないと知って、ミラちゃんががっかりしているように。たとえば研修所出身の俺は、自分の見台《けんだい》なんか一個しか持ってなくて、師匠に借りたりしてやりくりしてるけど、文楽の家に生まれた大夫は、代々伝わる漆塗りや螺鈿《らでん》の見台をごろごろ持ってるように。

　自分ではどうしようもない部分で、なにかが決められてしまうことがある。

　それは仕方のないことだ。そこから自由になりきれるものは、だれもいない。だけどそれは、哀しみやむなしさを確実に生みだしつづけている。俺は語れる。それを自分なりに咀嚼して、語ることができる。

健はいますぐ兎一郎を呼びだし、「稽古しましょう」と言いたかった。もちろん、思うにとどめた。ミラちゃんを家まで送りとどけなければならない。

マンションの多い静かな町を歩いた。前方に、新津小学校がシルエットとなって浮かびあがる。ミラちゃんは小学校の手前で角を曲がり、古い木造アパートのまえで立ち止まった。

「ここがうちんち」

「どの部屋？」

「二階の右の端っこ」

「電気が点いてる。お母さん帰ってきはったんかな」

健がそう言ったとたん、ミラちゃんの携帯が鳴った。

「ミラ、あんたいまどこおんねん！」

「家のまえ」

とミラちゃんが答えると同時に、二階の右の端っこのドアが勢いよく開いた。鉄製の外階段をけたたましく揺らして、ミラちゃんの母親が駆け下りてくる。

「帰ったらおらんから、心配したやないか。どこ行ってたんや！」

母親はミラちゃんを、健のそばからひっぺがすように掻き抱いた。「あんたいったい、なんですのん。こんな遅くまで小学生を連れまわして！」

やっと言葉を挟む隙を与えられた。母親も、健の返答を待っている。それなのに健は、なにも言えなかった。気の強そうな女の目と、丁寧に塗られたことが暗がりでもわかる長いまつげばかりを見ていた。

「健せんせ、今日はおおきに」

とミラちゃんが言った。

「うん」

と健はうなずく。

「また来週、学校でね。行こ、お母さん」

ミラちゃんは母親の手を引き、階段を上がっていく。

「うん」

と健はうなずく。

「先生なん？」と不審そうに娘に尋ねる女の声を最後に、二階の右の端っこのドアは閉まった。

健はしばらくその場にたたずんでいた。傘からいつのまにかはみでた左肩が、雨に濡れているのに気づき、やっと、来た道を戻りはじめる。

ラブリー・パペットに帰りついた健は、床本をさらった。与兵衛の輪郭は、健のうちでいっそう明確になり、いまや彼自身の声をはっきりと文字から伝えてきた。健は満足と安堵を覚え、午前三時過ぎにベッドに入った。早起きして劇場に行き、「河内屋内の段」の全体を兎一郎と合わせる必要がある。クリーム色の電話に内蔵された、モーニングコール機能をセットした。

ミラちゃんの家には、父親はいないのかな。枕に頭を載せ、健は考えた。なぜそんなことを考えたのか考える間もなく、眠りの世界にすべり落ちた。

「河内屋内の段」の稽古は、午前中に終えることができた。三味線を膝から下ろしながら、兎一郎は「なるほど」と言った。

「破壊の情熱を秘めた与兵衛だな」

「まずいですか?」

「悪くない。一本、筋が通った」

兎一郎は糸を緩め、駒を抜いた。「きみは世襲制に反対なのか」

健の語りの意図を正確に把握してはいるが、やっぱり、いきなり核心に触れすぎだ。兎一兄さんと銀大夫師匠って、実はちょっと性格が似てるよな、と健は思った。奔放で、段取りをすっ飛ばしがちなところが。

「どっちもあっていいんじゃないですか。この世界だって、研修所出身と文楽の家に生まれたものとで、半々ぐらいだし。どっちなのか、べつに気にするひともいないし」

そういえば、兎一兄さんがどちらなのか知らない。健はそう思った。

「それを聞いて安心した」

兎一郎は浴衣姿で腕を組む。「古い考えのひともいる世界だから、いたずらに刺激しすぎるのはよくない。モーツァルトのオペラを無邪気に楽しんだ、アホなフランス貴族とは勝手がちがう。革命的舞台を作りあげたいなら、細心の注意を払って駆け引きしないとな」

「いや、そんなおおげさなつもりはなく……」

「近松門左衛門は、きっとそういうつもりだったさ」

と、兎一郎はめずらしく楽しそうに笑った。「大切な目くらましになったのが、色気だ」

今度は健が、「なるほど」と言う番だった。お上《かみ》からにらまれずに舞台を円滑に進め、エンターテインメントとして観客を楽しませるために必要なもの。

「世話物の男の色気は、ローションみたいなもんか……」

健の独り言を聞き取ったらしく、

「なんだか下品なことを考えてないか」

と兎一郎は言った。

「いえ、兎一兄さんほどじゃありません」

と健は返した。

健と兎一郎が務めた「河内屋内の段」は、嵐のように激しく、緊密に展開した。全部を語るとなると四十分以上あり、床を下りるとあえぐように呼吸するようなさまだったが、健は充実していた。

床本を開き、「掲諦《ぎゃーてい》掲諦《ぎゃーてい》波羅《はら》掲諦《ぎゃーてい》」と健が語りだした瞬間から、客席と舞台はどことも知れぬ時空を漂いだす。三百年前の大坂と、現代の大阪と、これから三百年後の大阪とが渾然一体になった、劇の力だけが導くことのできる場所へ。そこでは時間を超えて、ひとの心が交じりあう。三百年前の人々の感情が自分のものになり、自分のものとなった感動が、三百年後の人々にもきっと伝わると信じられる。

本舞台では与兵衛の全身から、自由への希求が色気となって放射した。兎一郎の三味線は、破壊への激しい欲望を叩きつけ、ひるむ臆病さを掬《すく》いあげ、うねりとなって劇場じゅうの空気を揺らした。

健は語る。健は感じる。ときとしてひとの魂が行くことになる、暗い道がどこまでものびている。

与兵衛はもうすぐその道を行く。

「越ゆる敷《しき》居《い》の細溝《ほそみぞ》も、親子別れの涙川《なみだがわ》」

三日間の代役を見事果たしおおせた健が、大阪の観客から喝采を浴びたのは言うまでもない。

三、日《ひ》高《だか》川《がわ》入《いり》相《あい》花《ざくら》王

「ご苦労さんやったね、健《たけ》ちゃん」

銀大夫《ぎんたゆう》の妻、福子《ふくこ》はそう言って、健《たける》を居間に通した。

帝塚山《てづかやま》にある銀大夫の自宅は、いつ来ても静かでゆったりとした時間が流れている。綺麗好きでもてなし上手の福子が、家のすみずみまで気を配っているからだろう。

健は樫材の大きな卓に向かって正座した。卓のうえには、いまどきめずらしいような電熱器が据えられ、すき焼き用の浅い鍋がセットされていた。

どうしたものかと困惑し、健は掃きだし窓へ視線をやった。庭の橙《だいだい》の木が、ふくらみかけた緑の実をいくつもつけている。夏の夕陽を受け、根もとに水を撒かれたばかりの生け垣はつややかだ。

「えらかったやろ」

盆に載せて運んできた麦茶のコップを、福子は健のまえに置いた。自身も健の向かいに腰を下ろし、麦茶に口をつける。

木枠の網戸から、湿った土のにおいと風が流れこんでくる。コップのなかの氷が、涼やかな音を立てて麦茶に沈んだ。健は「いただきます」と言って、コップに手をのばす。

「任せてしもて、堪忍な。私もさっき帰ってきたところ」

「お嬢さんの具合、いかがですか」

「ナントカがひく夏風邪や。さすがにもう熱も下がってきたし、平気やろ。あの婿さんも、間《ま》の悪いときに出張になるわ」

「こじらせなくて、なによりです」

福子はコップを卓に戻し、健を見て微笑んだ。白髪を上品に結い、皺はあるが華やかさを失っていない福子の、笑みをそのまま受け取ってはいけない。来るか？　と健は身構える。

「なによりなのは、幸《こう》さんや」

と福子は言った。じらすなあ。健は肩すかしを食った思いがし、しかし幸大夫《こうたゆう》のことは銀大夫宅を訪問した本題でもあったから、「はい」と姿勢を正した。

「『おかみさんにくれぐれもよろしく』と、幸兄《にい》さんが言うてはりました」

「大丈夫やろうとは思うてたけど、名前のとおりの幸いな結果で、ほっとしたわ。入院はどれくらいになりそうなん」

「大事をとって、十日だそうです。そのあとも、しばらくは休むことになっとります。腹は大夫の命ですから」

「それがええ。夏は地方公演が多いからなあ。旅が体にさわるとあかん」

福子はにこやかなままだが、心臓に悪い。健はコップを傾けた。もう麦茶は残っていなかった。

形ばかり、飲むふりをする。

「お医者さんも気ぃつこうて、腹腔鏡手術にしてくれはったから、傷も小さいんですわ」

「なんなん、腹腔鏡って」

「ようわからしまへんけど、管のさきっちょにカメラがついとるらしいです。腹に何カ所か穴あけて、そのカメラでなかを見ながら、虫垂を引っ張りだして切るそうで。ふつうに腹切るより、傷口が小さくてすむいうことでしたわ」

「こわいなあ」

と福子は身を震わせた。「いくら小さい言うても、おなかに穴あけるやなんて。やっぱり明日、私も幸さんの見舞いに行ってこよ」

「幸兄さん、喜びますわ。何時ごろに行きはりますか。俺は明日、夕方まで稽古が入っとって……」

「ええ、ええ。一人で行ける」

空になった二つのコップを盆に載せ、福子は立ちあがった。「健ちゃん、夕飯食べていき」

「いや、俺は……」

「あんたが来るから、肉買《こ》うておいたんやで。幸さんの退院祝いや快気祝いは、またみんなでパーッとやろ」

帰るタイミングを逸し、健はため息をつく。部屋が暗くなってきたことに気づき、蛍光灯からぶらさがった紐を引いた。台所のほうからは、福子が立ち働く気配がする。冷蔵庫を開け閉めする音に耳をそばだてつつ、健は縁側に立って窓の外を眺めた。

表はすっかり夜になっている。それでもおかまいなしに、どこかで激しく蟬が鳴く。

縁側にあった蚊取り線香に、マッチで火をつけた。どうしたものか、と健はまた考える。細く白い煙に対してすら、「たすけてくれ」と思わず拝みたくなる。

幸大夫の盲腸の手術は成功した。幸大夫に付き添っていた健も、ひとまず安心できた。京都南座での二日間の公演を終え、大阪に戻ったその足で病院に詰めた疲れも、幸大夫の無事を思えばなにほどのこともない。しかしまだ、大きな問題がべつにある。

「さ、健ちゃん。たくさん食べてスタミナつけなはれ」

福子が大皿を手に、居間に戻ってくる。一目で上等だとわかる牛肉が、皿には大輪の花のように載っている。健は皿を受け取り、電熱器のスイッチを入れた。福子は台所に取って返し、今度は豆腐や野菜の入った竹製のざるを持ってきた。健が鍋で牛脂を転がしているのを見て、

「あんたは座っとればええの」

と菜箸を奪い取る。

福子は手際よく肉に火を通し、砂糖と醬油で味つけした。健はそのあいだに、福子と自分のぶんの器に溶き卵を作った。

「どんどんおあがり」

という言葉に甘え、肉を取って卵に絡める。

健は、福子が作ってくれるすき焼きが好きだった。すき焼きを作るさまを、見物するのも好き

だ。

それまで健の舌になじんでいた味よりも、福子のすき焼きはやや甘みが勝る。割り下を使わない、まさにすき焼きな関西風の作りかたにも、最初は驚いた。だがいまとなっては、「肉を食べたいなあ」と思って真っ先に浮かぶのは、福子の作るすき焼きの味だった。

福子は肉の減りを見て、豆腐と野菜も鍋に入れた。水が出てくると、砂糖と醤油を足す。目分量なのに、味は魔法のように調っている。具材の投入が一段落すると、二人はしばし黙って、食べることに専念した。

ふいに福子が箸を置く。

「ビールを忘れとったわ。飲まんもんは、これやからあかん」

立ちあがろうとする福子を、健はあわてて止めた。

「ええんです、おかみさん。明日早いから、今夜はやめときます」

「そうか？　遠慮はなしやで」

福子は健をうかがった。「立ったついでや。ご飯とうどんと、どっちがええ？」

「うどんをお願いします」

結局、福子と二人ですき焼きをすべて、うどんも一玉ずつたいらげた。鍋のなかには、葱《ねぎ》の切れっ端も見当たらない。

「はあ、苦しい」

と福子は笑い、

「ごちそうさまでした」

と健は言ってから、さすがに足を崩した。「あー、うまかった。腹いっぱいですわ」

「健ちゃんの食べっぷりは、いつも気持ちがええな」

福子はポットと急須を引き寄せた。熱い煎茶をいれて、健に差しだす。

「さて。うちのひとは、どこにどうしてござるんや？」

はたり、とかすかな音を立て、蚊取り線香の灰が縁側に落ちた。


「それで、なんと言い訳したんだ」

兎一郎《といちろう》は三味線を構え、てりてりと艶《つや》っぽい音色を奏でた。『艶容女舞衣《はですがたおんなまいぎぬ》』の「酒屋の段」。お園《その》の有名なくどきへ至る部分だ。

健は条件反射で、「今ごろは半七《はんしつ》つぁん」と語りはじめた。よその女と子どもを作り、家には寄りつかぬ夫を、それでも案じる若い妻の言葉だ。兎一郎は哀感のなかに、どこか皮肉っぽい響きの手を入れる。あいかわらず、模様を弾いて的確だ。苦境に陥りつつある銀大夫のことを、咄《とっ》嗟《さ》のうちに音で茶化してみせた。

「どこにどうしてござろうぞ」

吹きだしたくなったのをこらえ、健はつづける。俺はうまくなったんじゃないか、と錯覚してしまいそうな自分を、急いで戒めた。

「なんとも言い訳のしようがありませんよ」

さわりを語り終えると、健は肩を落とした。「おかみさんが察したとおり、銀大夫師匠は半七《はんしち》よろしく、女のひとといるわけですから」

八月末に予定された内子座《うちこざ》の公演で、健と兎一郎は『ひらかな盛衰記《せいすいき》』に出演することになっている。その稽古を終え、健は兎一郎に、前日の顚末を話して聞かしているところだった。

国立文楽劇場の稽古場は、適度に空調がきいていて過ごしやすい。まだ日の残る外の暑さを思うと、ついつい腰が重くなる。愛想なしの兎一郎といえど例外ではないらしく、めずらしく健の話につきあう姿勢を見せていた。

「銀大夫師匠が、あのまま京都に居つづけているとはな」

稽古用の三味線を、兎一郎は深紫の縮緬《ちりめん》でくるんだ。

「『それはまずいんとちゃいますか』って、俺は銀師匠に言ったんですけどね……」

健は床本《ゆかほん》を入れた風呂敷の端を、ため息とともに膝のうえで結ぶ。「案の定、おかみさんはかんかんです。『一番弟子が手術するいうときに、女遊びとはいいご身分や。二度とうちの敷居をまたげると思いなはんな、て言うといて』って」

「あの夫婦はいつも、年のわりに元気だな」

「師匠の場合、年甲斐もなく、っていうのが正解です」

健の胃は、ゆうべからきりきり痛む。すき焼きを食べすぎたからでは、もちろんない。ただでさえパワフルな銀大夫夫妻だ。ひとたび、銀大夫と福子のあいだに戦争が起こると、弟子である健にかかってくる精神的負荷は計り知れないものになる。

「しかし、きみも正直すぎていけない」

兎一郎はうっすら笑った。「『師匠は、亀兄《かめ》さんと京都見物してくるそうです』とでも、適当に言っておけばいいものを」

「そんなの無理です」

健は自分の眉間に、苦悩と同じ深さの皺が刻まれたのを感じた。「だっておかみさん、ドスをきかせた声で言うんですよ。『健ちゃん、しらを切ろうとしても無駄やで。私がなんで、うちのひとの行きつけの店に、中元歳暮を贈ってると思う。赤坂から女が来たのは、ちゃーんとわかってんねんで』」

「すごい情報収集力だな」

「こわいですよ、ほんと」

健を悩ませる今回の騒動の発端は、京都公演後の銀大夫の行動にある。

京都南座の楽屋は狭い。廊下も迷路のように入り組んでいる。

二日間だけの公演だし、さして不便は感じないが、気詰まりだった。大阪や東京の劇場の楽屋とは、部屋割りが変更されるからだ。

いつもだったら南座では、健は若手の大夫や三味線と同室になる。だが今回は、手術を目前に控えた幸大夫が休演中だ。かわりに健が、銀大夫と同じ楽屋に入ることになった。そこに亀治《かめじ》と兎一郎も加えた四人で、南座の楽屋の一室を使う。この人選は当然、銀大夫の意向によるものだった。

兎一郎はあまり楽屋に居着かないし、亀治は銀大夫をうまくあしらう。銀大夫のお守りをする任は、すべて健にのしかかってきた。狭い楽屋で銀大夫と顔を突きあわせ、朝から晩までその奔放さに振りまわされた。

南座での公演が二日間でよかった、と健はつくづく思った。

銀大夫の世話とはべつに、もちろん健も舞台に上がった。京都公演で健が割り振られた出番は、『日高川入相花王《ひだかがわいりあいざくら》』の「渡し場の段」だった。

安珍《あんちん》に恋い焦がれた清姫《きよひめ》が、真夜中に蛇体となって川を渡る。清姫の人形が早変わりして、恋の執念のすさまじさを見せるという、視覚的にも音楽的にも派手な段だ。あれこれ解釈を考える類の話ではないから、健は喉と節まわしを観客に聞かせるつもりで、気楽に語った。

床《ゆか》には五人ずつ、大夫と三味線が並んだ。健はいつもどおり、大夫のなかで三番目の位置に座った。健と組むからには、兎一郎も三味線の三番目に位置づけられてしまう。本来なら、切場《きりば》を語る大夫の相方になってもおかしくない力量の持ち主だ。健は語りながら、少し申し訳なく思った。

あいだにひとを挟み、離れて床に座っても、清姫の狂気を奏でる兎一郎の三味線は、ひときわ冴え冴えと健の鼓膜を震わせた。

二日目の出番を終え、健は「やれやれ」と、床舞台の裏から銀大夫の見台《けんだい》を取ってきた。朱塗りに蒔絵で御所車《ごしょぐるま》が描かれ、金の房がついた豪華な品だ。分解して梱包し、トラックに載せるのは健の仕事だった。

撤収の準備で、どの楽屋もあわただしくひとが出入りしている。見台を持って自分の楽屋に戻ると、兎一郎も三味線を分解してケースに収めるところだった。若い女が、それを興味深そうに眺めていた。

「義太夫の太棹《ふとざお》って、近くで見ると本当に大きいのね。『男の三味線』って感じ。ふふ」

兎一兄さんの知りあいだろうか。はじめて見るひとだ、と健は思い、目のやり場に困った。女は、健からすると下着以外のなにものにも見えないような、レースをふんだんに使った黒のスリップドレスを着ていた。丈が短くて、横座りした太股が丸出しだ。

兎一郎は、女の存在をあまり気にしていないようだった。谷間を強調した胸が迫り、手もとを覗きこまれても、視線を動かすでもなく作業をつづける。三味線をさっさとケースにしまい終えた兎一郎は、楽屋の戸口に突っ立っていた健に向かって言った。

「銀大夫師匠のお客さんだ。師匠は？」

「廊下でジュースを飲んでましたけど……」

「うっそ、銀ちゃんたら、甘いもんも飲むんだ」

と、女は言った。「店ではシブーく『酔鯨《すいげい》』とか飲んでるのにぃ」

探してくるね、と女は立ちあがり、健の横を擦りぬけて楽屋から出ていった。健は女を振り返り振り返りしながら、畳に腰を下ろす。

「あの……。いまの、どなたですか？」

「赤坂のアケミ、と名乗っていた」

兎一郎は平然と答えたが、健は自分の顔色が変わるのがわかった。

「まずいじゃないですか！　お店の女のひとが、わざわざ東京から京都まで来るなんて」

「『銀ちゃんに京都を案内してもらおうかと思ってぇ』だそうだ。銀大夫師匠がどこにいるのかわからなかったから、楽屋で待っていてもらった」

「適当に追い返してほしかったですよ。ミラちゃんには無愛想だったのに、なんでアケミさんの言うことは聞くんです」

「わかりやすい女は嫌いじゃないからだ」

兎一郎は三味線のケースを持って、楽屋から出ていった。

たしかに小学生の女の子は、思考も生態も自分たちからは遠い存在ではあるけれど、と健はがっくりした。そういう問題か？

アケミの腰に手をまわし、銀大夫は上機嫌で楽屋に戻ってきた。そして健に、

「アケミちゃんとぶらぶらしてくるから、さきに帰っといてや」

と言った。アケミは、「あーん、ありがと銀ちゃん。アケミ、うれしい！」と身もだえした。

「幸兄さんの手術は明日ですやん」、「帝塚山のほうには、なんて言いますねん」。健は必死に、銀大夫に翻意をうながしたが、無駄だった。銀大夫は「うん、うん」と上の空で返事するばかりで、アケミと一緒に意気揚々と南座をあとにした。「鼻の下がのびた顔」って、ああいうのを言うんだなと、健は途方に暮れたのだった。

「でもおかみさんも、どうして今回にかぎって目くじら立てるんでしょう」

兎一郎とともに稽古場から出て、健は国立文楽劇場の廊下を歩く。「師匠が東京公演のたびに遊んでても、見て見ぬふりをしてきたのに」

「テリトリーがあるんだろう」

と兎一郎は言った。「銀大夫師匠の女が、フォッサマグナより西に踏み入ってくると、福子さんは怒る。昔からのことだ」

「フォッサマグナってなんですか」

「地理で習わなかったか？」

「俺、勉強は全般的に苦手だったんで」

「わかりやすく言うと、銀大夫師匠の女に糸魚川《いといがわ》を越えさせてはいけない、ということだ」

「はあ……」

表はとっぷりと日が暮れていた。夏の空に瞬く星を、ひっきりなしに通りすぎる車のライトがかすませる。

「遅くなっちゃってすみません」

健が謝ると、

「いいんだ」

と兎一郎は言った。「できるだけ遅く帰宅したいところだったから」

よくわかんないひとだな、と思いながら、難波のほうへ去っていく兎一郎を見送る。

銀大夫がどこをほっつき歩いているのか、ようとして知れない。さりげなく銀大夫を諫《いさ》めてくれるはずの幸大夫は、病院のベッドでうんうんうなっている。帝塚山では福子が怒りの導火線に火をつけ、夫の帰りを手ぐすねひいて待っている。八方ふさがりとは、まさにこのことだ。

健は、自分を馬鹿じゃないかと思った。気楽な恋などないと知らずに、「渡し場の段」を気楽に語った俺は馬鹿だ、と。

生玉寺町のラブリー・パペットでは、今夜も誠二《せいじ》が忙しくホテルを切り盛りしていた。何本もの洗剤のボトルを入れたバケツを片手に提げ、もう片方の手で掃除機を引きずっていた誠二は、健の姿を見て「おう」と言った。薄暗い廊下を近づいてくる。

「おまえの部屋の電話、夕方から何度も鳴っとったで」

「だれやろ。すまんな」

「掃除のおばちゃんが一人、風邪でダウンしたんや。あとで手伝ってくれんか」

「ええよ」

まずは腹ごしらえをしようと、健は自室に入った。窓を開け、小さなコンロで湯を沸かす。差し迫って公演はないから、たまには刺激物を食べてもいいだろう。買い置きの棚から、カレー味のカップラーメンを選んだ。少し贅沢したい気分だったし、喉への負担を減らすためにも、冷蔵庫からスライスチーズを出す。

できあがったカップラーメンにチーズをちぎって入れ、マイルドかつ濃厚な味を楽しんでいると、電話が鳴った。入院中の幸大夫からだった。

「やっとつかまった！　どうなるかと思ったで。俺の携帯、充電が切れとって、おまえの携帯の番号がわからんでな。なんとか脳みそしぼって、この番号を思い出したんやが、かけてもかけても、だれも出えへん」

「すんません、稽古が長引いて。見舞いには明日行こうと……」

言いかけた健を、幸大夫はさえぎった。

「俺の見舞いなんかしとる場合か。健、おまえヘマをしでかしよったな」

「なんのことです」

「師匠のことや！　おかみさんから聞いたで。赤坂の女が来たらしいやないか」

幸大夫は、手術前よりもよっぽど弱々しい声でうめいた。「なんで師匠を引き止めんのかなあ」

「止めましたよ！　けど、止めて聞くようなおひとやないですやん」

幸大夫は決然とした口調で言った。「おかみさんは怒ってはる。早う連れ戻して謝らせんと、師匠の身が危ない。師匠を探すんや！」

「探しにいけ」

病院の公衆電話からかけているのだろう。幸大夫の背後は静かで、たまにパタパタとスリッパの音が聞こえてくるだけだ。

「探す、いうたかて……。どこを探せばええんか、わかりません」

「亀治はどうした。あいつに聞けば、師匠の居所を知っとるかもしれん」

「亀兄さんは京都公演のあと、奥さん、息子さんたちと、そのまま旅行に出かけたはずです」

「それや！」

と幸大夫は叫び、低く「あいたた」となった。手術したばっかりなのに、もう起きあがっていいのかな、と健はいまさらながらに思った。

「師匠は亀治と一緒におるはずや」

「亀兄さんは家族づれですやん」

健は首をひねる。「いくら師匠でも、赤坂の女とそこに乱入はせんでしょう」

「甘いで、健」

幸大夫は再び弱々しい声になった。腹の傷口が痛みだしたのかもしれない。

「幸兄さん、もうベッドに戻ってください」

「おまえは芸人の嫉妬いうもんがわかっとらん」

健の言葉に耳を貸さず、幸大夫は言った。「師匠は、自分を放って家族旅行する亀治に妬いたんや」

「まさか」

「絶対や。それに、常識人の亀治が、赤坂の女を追い返しもしない師匠を、なんで注意せんかったと思う？　帝塚山に帰すのが癪やったからや。一緒に旅行すれば、そのあいだも亀治は師匠と手合わせできる」

「まさかぁ」

と健はまた言い、笑った。「百歩譲って師匠は、子どもじみた独占欲をだれかれかまわず発揮することもあるかもしれません。だけど亀兄さんにかぎって……」

「おまえ、亀治を穏やかでようできた三味線弾きや思うてんちゃうやろな?」

幸大夫も笑ったが、それは冷笑に近かった。「せやからおまえは甘い言うねん。亀治は自分の芸のためなら、家族旅行なんか投げ捨てるで。師匠の夫婦仲がどうなろうと、知ったこっちゃない。師匠と義太夫できれば、ほかはどうでもええ、と考える男やで」

「激しいですねえ」

「なにを他人事みたいに。おまえかて、亀治と同門の兎一郎と組んどるやないか。あいつらは芸の鬼や。ボーッとしとったら食われるで」

兎一郎の三味線の音《ね》が、耳によみがえる。ときに甘く包むように、ときに激しく切りこむように、健の魂を揺さぶり捕らえて離さぬ音色が。

食われるなら本望だ。だが、その瞬間をできるだけ先延ばしにしたい。いつまでもいつまでも、聞いていたいから。できるだけ長く、ともに床に上がりたい。兎一兄さんの三味線と揉みあうように、競りあうように、俺の語りが高められていく、そのさきを見たい。

兎一兄さんが鬼なら、俺も鬼だ。文楽という底なしの地獄に嬉々として生きる鬼だ。

「それで、亀治はどこに行った」

と幸大夫が尋ねた。

「知りまへん」

と、健はまだうっとりとしたまま答えた。

「アホー！」

幸大夫の怒鳴り声が、兎一郎の幻の音をかき消す。「いますぐ兎一に聞け！　聞いたらさっさと、そこへ師匠を迎えにいくんや。ええな！」

これだけ大きな声が出るんなら、幸兄さんの手術はやっぱり成功だったんだな、と健は思った。

兎一郎の携帯電話と自宅の電話にかけてみたが、どちらも通じない。携帯は「電源が切られている」というアナウンスが流れるばかりだし、自宅のほうは留守番電話になっていた。朝になったら、またかけてみて、それでも通じなければ兎一郎の家まで行ってみるしかないだろう。

誠二の指示に従い、健はカップルが使ったあとの風呂を掃除した。入浴剤で濁ったぬるい湯が、渦を巻いて排水口に吸いこまれていく。

どうして銀大夫を師匠に選んでしまったのか。もうちょっと苦労させられない師匠につきたかった。

スポンジでバスタブをこする腕に、力が籠もった。

兎一郎は、豊中市の緑地公園の近くに住んでいるらしい。部外秘の技芸員名簿、といっても、コピーをホチキスで留めただけの簡素なものを調べ、健はなんば駅までぶらぶら歩くことにした。緑地公園駅には御堂筋線が乗り入れしているので、難波からなら一本で行ける。

午前中だというのに、早くも強い日射しが降りそそぐ。

難波周辺は、多くのひとでにぎわっていた。中学生らしき女の子の一団が、歩道を行く健をよけて二つに分かれ、背後でまたひとつに固まった。川の流れみたいだなあ、と健は思った。岩を巧みによけて流れる、水に似ている。女の子たちはそのあいだもずっと、迸る勢いで会話をつづけていた。

大勢がいっせいに、早口の関西なまりでしゃべると、健はたまに、うまく聞き取れないことがある。もう十年以上も、大阪の芸能である文楽の世界に身を置き、関西なまりを自分のリズムと言葉にしようと努めているが、なかなかうまくいかない。

そういえば、兎一兄さんはどこの出身なんだろう。西のひとではないのは、たしかだ。兎一兄さんはいつも、東京弁のイントネーションで話す。俺も兎一兄さんと話すときは、ついついつられて、身に染みついた東京弁を使ってしまう。

買い物に来たらしい小学生ぐらいの女の子が、母親と手をつないで健の横を通りすぎた。ミラちゃんはどうしてるかな、と考えた。

地下鉄乗り場への階段を下りようとしたところで、携帯電話が鳴った。留守電を聞いた兎一郎か、もしかして銀大夫か。期待をこめて表示を見ると、ミラちゃんだった。落胆はしなかった。ちょうどミラちゃんのことを考えていたので、タイミングがいいなとうれしい驚きを覚える。

「健せんせ?」

「ひさしぶりやな。元気か、ミラちゃん」

「うん。毎日、学校の開放プールに行ってるねん」

ミラちゃんの声は楽しそうに輝き、夏の太陽そのものといった感じだ。「あのな、今日、せんせのとこ遊びにいってもええ?」

「俺の家?」

健はあわてた。ラブホテルに小学生の女の子を招くわけにはいかない。

「それはちょっとまずいな。どうかしたんか?」

「どうもせんよ」

また母親が不在なのかと思ったが、そういうわけでもないらしい。ミラちゃんの声は明るいままだ。

「義太夫の稽古をつけてほしかってん。夏休みやからって怠けとったら、喉が錆びついてしまうわ」

「練習熱心やなあ。俺も見習わんと」

健が感心してみせると、

「そうや。うちほど熱心な小学生はおらんで」

とミラちゃんは得意そうな口調になった。「せんせのとこが駄目なら、うちんちに来てくれへん?」

「これから、ちょっと行かなあかんとこがあんのや。夕方でもええか」

「ええよ。うちも午後の開放プールに行かなあかん。じゃあ、夕方に待っとるから」

ミラちゃんと約束を交わし、健は御堂筋線に乗りこんだ。冷房のきいた車内は空いている。座席に腰を下ろすと、向かいでカップルが顔を寄せあい、なにか囁いては笑っていた。

世間はいつのまにか夏休み。俺は小学生と義太夫の稽古の約束。

健はため息をつき、まあ悪くはない、と自分に言い聞かせた。電車は淀川を渡り、さらに北を目指して走った。

駅から歩いて四分の場所に、兎一郎の住むマンションはあった。古い建物のようだが、塗り替えたばかりらしく、壁は白々としている。照り返しに目をすがめ、健は四階建てのマンションを見上げた。並んだ窓が、夏の青い空を映していた。

マンションの入口には、銀色の郵便受けが整然と並ぶ。兎一郎の部屋は二〇八号室のはずだが、名前を出している家はひとつもなかった。コンクリートの階段を上り、目当てのドアを探す。二〇八号室は、緑地公園のほうを向いた角部屋だった。蟬の声がうるさいほどだ。表札はやはり出ていない。ここでいいのかな、と不安に思いながら、健はブザーを押そうとした。

クリーム色の鉄製のドア越しに、尋常ならざる物音が聞こえたのは、そのときだった。椅子かなにかが倒れる音とともに、

「浮気したら殺すて言うたやろ！」

と女の怒鳴り声がする。健はびっくりし、ドアのノブに思わず手をかけた。玄関のドアは抵抗なく開いた。短い廊下の向こうに、リビングが見える。その床には兎一郎が仰向けに倒れ、腹に女がまたがっていた。

「してないと何度も言ってるだろ」

と兎一郎は腹に乗った女に訴え、

「ごちゃごちゃとやかましい！」

と女は両手に持っていた花瓶を振りかぶる。兎一郎は寝そべったまま、バンザイの恰好になった。

「待て！　待て待て、手はやめてくれ、頼む！」

リビングの窓は開いていて、心地いい風が吹き抜ける。玄関に立ちすくんだ健は、もうなににびっくりすればいいのかわからなかった。

ふだんは冷静沈着な兎一郎が、女にのしかかられている。浮気を責められ、なにやらしどろもどろになっている。花瓶で頭をかち割られそうなのに、この期に及んでまだ三味線を弾く手をかばおうとしている。そしてなによりも、兎一郎の腹に乗っているのは……。

「藤根先生？」

健がつぶやくと、兎一郎と藤根先生はようやく、玄関先にいる闖入者《ちんにゅうしゃ》に気づいたらしい。同時に健のほうを見た。

「あら、あらあら」

藤根先生は兎一郎の腹から飛び退《の》き、花瓶をさりげなく食卓に置いて、乱れた髪を手で整えた。

「健先生。いやだ、どうしてここへ？」

「銀大夫師匠を連れ戻さなきゃいけなくて……。亀兄さんの行方を……」

健は呆然としてしまって、要領を得ないことをぼそぼそ言った。「あの、なんで藤根先生が、兎一兄さんの家にいるんですか？」

「妻だからだ」

と、危機を逃れ、やっと立ちあがった兎一郎が言った。

「はい？」

「妻だ」

と、兎一郎は辛抱強くもう一度言う。

「黙っとって堪忍な、健先生」

兎一郎の隣で、藤根先生が微笑んだ。最前までの狂乱が嘘のように、疎開先の美人な女教師といった、いつもと変わらぬ清楚な風情を取り戻していた。

健は兎一郎と藤根先生とともに、食卓で冷えた麦茶を飲んだ。茶をいれたのは兎一郎だった。兎一郎はキッチンに行くついでに、藤根先生のまえからぬかりなく花瓶を持ち去った。

「新津小学校で義太夫指導が行われてるのは、藤根先生のつてやったんですね」

健の言葉に、「そうや」と藤根先生はうなずく。

「このひと、私のこと嫌《きろ》うてるから、私と夫婦やってこと隠しとるけど」

「隠してはいない」

と兎一郎は小さく反論した。「あえて言いふらすようなことでもないだろ」

「あーそうですか」

と藤根先生は言った。「そろそろ正直に白状しぃ。先斗町《ぽんとちょう》のお座敷で遊んだことは、亀治さんの奥さんからちゃんと聞いてるんやで」

「京都公演のときのことを言ってるんですよね?」

また雲行きがあやしくなってきたので、健は急いで口を挟んだ。「そんなら俺も行きました。兎一兄さんと俺は、師匠と亀兄さんの付き添いで、遊ぶなんてことはしてません。すぐに切りあげて、さきにホテルに帰りましたよ。ね、兎一兄さん」

「そのとおりだ」

ここが肝心、と言いたそうに、兎一郎は熱をこめてうなずいた。「昨夜から何度もそう言っている」

ゆうべから喧嘩してたのか、と健はあきれた。藤根先生は「ふうん」と、まだ疑わしそうな眼差しで兎一郎を見る。

「亀治さんなら、大原だ」

藤根先生の追及の視線をかわし、兎一郎はそそくさと椅子から立った。「行こうか」

「え、ついてきてくれるんですか」

健は兎一郎のあとを追う。

「逃げ足だけは速いんよ」

と藤根先生が言った。

兎一郎と一緒にマンションを出て、緑地公園駅に向かう。

大原か。夕方までに戻ってこられるだろうか。ミラちゃんが藤根先生のことを、「ほんまはすごーく怖いとこある」と言ったのは、たしかな観察眼だった。

そんなことを考えながら、健は歩いた。乾いて白茶けたアスファルトの道を、兎一郎も黙って歩いている。

「なんだか大変そうですね」

改札を通るときに、健は兎一郎に話しかけた。

「妻はきわめて暴力的かつ動物的なんだ」

兎一郎は平然とした態度を取り戻し、淡々と言った。「俺はいつか、大蛇に化けた妻に絞め殺されるかもな。安珍みたいに」

そんなにいやでもなさそうな顔つきだった。


京都駅からバスに乗り、一時間ほどどんどん山のほうへ入っていく。開け放した窓から、沢の水のほの甘い香りがしだしたころ、緑濃い大原に着いた。

バスを降りて、表示どおりに田んぼのあぜ道を行くと、旅館や寺院がいくつもある小さな村に出た。ちょうど打ち水をしていた民家のおばあさんが、親しげに声をかけてくる。

「どこにお泊まり?」

「山鳩荘《やまばとそう》です」

と、兎一郎が答えた。

大原行きのバスに乗っているときに、前夜に兎一郎と連絡がつかなかった理由が判明した。藤根先生が兎一郎の携帯電話を投げた拍子に、電池パックのカバーが少し浮いたのだ。

健に指摘され、兎一郎は電源の落ちた携帯をためつすがめつしていたが、カバーをきちんとはめ直すと、無事に復旧した。とたんに携帯は、「山鳩荘」とだけ記されたメールを受信する。マンションに残った藤根先生が、亀治の奥さんの携帯に電話し、大原のなんという旅館にいるのか、それとなく聞きだしたらしい。浮気だ殺すだと怒っていたわりには、藤根先生は兎一郎のために暗躍している。

「あら、いいお宿どすなあ。それなら、三千院さんをちょっと過ぎたところですわ」

と、おばあさんは道順を教えてくれた。健と兎一郎は礼を言って、さきに進んだ。

おばあさんの言ったとおり、山鳩荘は「いいお宿」だった。敷地の入口が山門風の立派な構えになっており、最初は寺だと勘違いして行きすぎてしまったほどだ。

「ここですね」

「ここのようだな」

健と兎一郎は、仁王像がないのが不思議なぐらいの、木造二階建ての古い門を見上げた。庇《ひさし》の下には、「山鳩荘」と達筆で書かれた額が掲げられている。

門をくぐると、玉砂利の敷かれた道が庭の奥までつづいていた。庭の地面は美しく苔むして、緑のビロードのようだ。庭木は自然な形に剪定され、池のほとりには大きな岩がごろごろと配置されている。池を覗いてみると案の定、立派な錦鯉が、露店の金魚すくいのような密度でうようよと泳いでいた。

砂利道の終点には、純和風の御殿があった。大きな玄関に入ると、檜の太い柱が目を引いた。

「お越しやす」

着物姿の従業員の女性が、すぐに近づいてきて上がり端に正座した。「ご予約を承っておりますでしょうか」

「いいえ」

健はぎこちなく首を振った。「こちらに、笹本銀大夫が泊まってると思うんですが。俺は使いのもので、笹本健《たける》大夫《だゆう》といいます」

女性は、「少々お待ちくださいませ」と丁寧に言い、帳場の電話から内線をかけたようだった。

健のまえまで戻ってくると、

「お通しするようにとのことでございます。こちらへどうぞ」

とスリッパを勧め、案内に立ってくれた。

廊下の床板も、庭に面した窓も、磨きぬかれていた。あちこちに派手すぎぬ花が飾ってある。わざと野草を選んでいるのだろうが、健には花の名前はわからなかった。

明らかに高級な旅館で、健は緊張した。兎一郎は気負ったふうでもない。廊下を歩きながら、鹿威し《ししおど》の音に耳を傾けているようだったが、「ああ」と急に平板な声で言った。

「亀治さんの手だ」

そこから廊下をふたつ折れたところで、健も三味線の音を聞き取った。何人かがはしゃぐ気配と、銀大夫の声も。従業員の女性は、健と兎一郎を、建物の最奥部にある座敷へ導こうとしているらしかった。

　座敷の光景を見て、健はめまいを感じた。そこでは銀大夫が亀治の三味線に合わせ、新内節《しんないぶし》をうなっていた。銀大夫は本来、どちらかといえばしゃがれた滋味《じみ》あふれる声の持ち主だが、ちゃんと新内っぽく、鼻に抜けた艶っぽい節まわしを使っている。

「たとえこの身は泡雪と　ともに消ゆるもいとわぬが」

『明烏夢泡雪《あけがらすゆめのあわゆき》』だ。亀治が楽しそうに、ちりちりと手をつけている。情感たっぷりの銀大夫の声に、宿の浴衣を着たアケミが目を潤ませる。亀治の奥さんと小学生ぐらいの息子二人は、やんややんやの拍手喝采だ。座敷には銚子が散乱していた。

「師匠……」

　健は気を取り直して声をかけ、敷居をまたいで座敷に踏み入った。「昼間っからなにをしてはるんですか」

「見てわからんのかいな」

　やまばと、やまばと、と藍色の文字が一面に染め抜かれた白い浴衣姿で、銀大夫は胸を張ってみせた。「遊んどるんや」

　健はへなへなと、銀大夫のまえに膝をついた。

「後生ですから、帝塚山に帰ってくれまへんか。おかみさんに責められ、幸兄さんには怒られて、俺、つらいです」

「ちょっと息抜きしよう思ったら、すぐこれや」

常に息抜きばかりしているように見える銀大夫は、顔をしかめて浴衣の袖を突っ張った。「タダでは帰らんで。せや、勝負しよ」

「なんの勝負ですか」

「うーん……、都々逸《どどいつ》はどうや」

「いやですよ、なんで都々逸なんですか。酔ってはりまんな、師匠」

健は抗議し、助けを求めて周囲を見た。兎一郎はアケミと、銚子に残っていた酒を酌みかわしはじめていた。亀治の奥さんは、「あら楽しそう」と手を叩いた。亀治の息子二人はそろそろ飽きてきたらしく、小型のゲーム機で遊びだした。

「おまはんが勝ったら、おとなしく帰りましょ」

と銀大夫が言い、亀治が三味線を構えた。

「俺の家には　セコムはいらぬ　般若によく似た　妻がいる」

亀治のつけた軽妙な手に乗り、まずは銀大夫が戦いの火ぶたを切った。健もしかたなく応戦する。

「人妻慰め　留守宅あがり　出された肉に　舌鼓《したつづみ》」

「なんやと、こら！　福子になにをしたんや！」

「すき焼きです、すき焼き！　気になるなら素直に帰ればええでしょう！」

「小癪《こしゃく》な挑発しよってからに……。蜘蛛の巣張った　あばら屋よりも　テントを張って　暮らしたい」

「なんちゅう下品な……。わかりました。俺かて言わせてもらいます。家をつぶして　餅つきするも　腰をいためて　老い無惨」

「なんやとぅ！　だいたいおまはんは、都々逸ちゅうもんがわかっとらんがな」

それから一時間、健と銀大夫の都々逸合戦はつづいた。亀治の奥さんは二人の息子をつれて庭を散歩しにいき、アケミは浴衣の裾をはだけさせて座敷で昼寝し、兎一郎は銀大夫につけて銚子を追加し、亀治は変幻自在な節を無尽蔵に弾いてみせた。

「うまくもなかろと　鳴く腹の虫　食べなきゃわからぬ　恋の味」

「恋じゃないのよ　小指のうずき　ぶつけた簞笥《たんす》が　憎いだけ」

座敷に一瞬、沈黙がよぎり、ついに銀大夫は、「もうあかん」と言った。

「疲れた。やめや、やめや。帰るで、健」

「ありがとうございます」

と健は頭を下げた。亀治は三味線を膝から下ろし、「それがよろしいですやろな」と穏やかに微笑む。目を覚ましたアケミが、「銀ちゃんが帰るなら、アケミも帰るぅ」と言った。

亀治一家に見送られ、健たちは山鳩荘をあとにした。亀治の奥さんは山門の下で、「お互いに苦労しますな」と笑って健に囁いた。

京都駅でアケミを新幹線に乗せる。アケミは銀大夫が買って持たせた駅弁と八ツ橋を抱え、

「銀ちゃん。楽しかった、ありがとう。またお店に来てね」

と言った。銀大夫は、孫を見るようなと言うには好色成分の強い目の細めかたで、

「もちろん行くでぇ。アケミちゃんも、また息抜きしにきいや」

と答えた。

なんとなく重い足取りで家路につく兎一郎とは、新大阪駅で別れた。帝塚山までの電車内で、健は銀大夫が逃げだすことのないよう、細心の注意を払って見張りつづけた。

「師匠。なんで急に、アケミさんと遊ぼうなんて思いつきはったんです。おかみさんと喧嘩でもしとったんですか？」

「喧嘩なぞせんがな。遊びは芸の肥やしや」

隣に座った銀大夫から窓の外の景色へと、健は視線を移した。よくわからない、と思った。おかみさんや、藤根先生や、亀兄さんの奥さんは、後悔してるんじゃないだろうか。もし、そばにいるひとを後悔させてまで邁進するべきものなのだとしたら、そういう芸道とはいったいなんなんだろう。

やっと、銀大夫宅の青々とした生け垣が見えたときには、心底ほっとした。玄関の格子戸を開け、予定どおりに帰宅したと言わんばかりの態度で、銀大夫は悠々と家のなかに入っていった。健はそれを、生け垣のところに立って見届けた。

もしかしたら銀大夫は、福子に散々にどやしつけられるかもしれない。そうなったら夫婦喧嘩のあいだに割って入り、師匠の身を守らねばならない。守りがいのない言動をする師匠だが、弟子の務めであるからにはしかたない。

健はしばらくその場にたたずみ、屋内の様子をうかがった。怒鳴り声も、ものの割れる音も、いつまでたっても聞こえてこなかった。やがて居間にオレンジ色の明かりが灯され、食器の触れあうかすかな音と、福子の笑い声がしだした。

健は日暮れの町を、駅へ向かって歩いた。


ミラちゃんの住むアパートにたどりついたときには、夕方を過ぎて夜になっていた。

笑顔で出迎えてくれたミラちゃんは、真っ黒に日焼けし、鼻の頭の皮が剝けていた。金太郎の前掛けみたいな、ホルターネックタイプの上衣を着て、背中をむきだしにしている。

「服がこすれると、ひりひりするんや」

とミラちゃんは言った。健は台所を借りて鍋に氷水を作り、こまめにタオルを絞ってはミラちゃんの背中に貼りつけてやった。

台所は使い勝手のいいように整頓され、冷凍庫のなかには、作り置きのおかずがタッパーに詰められていっぱい入っていた。タッパーにはどれも、中身と電子レンジでの解凍時間を書いたメモが貼ってある。

ミラちゃんの母親は、まだ帰っていなかった。

ミラちゃんは小声で『寿式《ことぶきしき》三番叟《さんばそう》』を語ってみせ、健は細かい部分の音遣いを指導した。稽古の合間にミラちゃんは、「今日はデートやったん？」とか、「次の公演ではなにをやるん？」とか、いろいろ聞いてきた。健は質問に答えながら、失礼にならぬ程度に室内を眺めた。

眺めようとしなくても、目に入ってきてしまう。六畳間にはほとんどものがなかったが、清潔で居心地のいい空間だった。壁には、かつてミラちゃんが描いたらしい「おかあさん」の絵がピンで留めてあった。なかなかうまい。絵の隅には、「一ねん　おかだ　みらい」と記してある。

お父さんの絵はないのかな、と健は思った。六畳間の右手にある襖の向こうは、寝室として使っている部屋のようだ。左手の襖は、押入か。押入のなかに、お父さんの仏壇があるのだろうか。それとも、出張中だか単身赴任中だかで姿が見えないだけで、お父さんの服がいっぱい入っているのだろうか。

どうして俺は、ミラちゃんに父親がいるかいないか、こんなに気にするんだ。健は内心で半ば憤然と考えた。本当はわかっていた答えを、まざまざと自分に突きつけられたのは、ミラちゃんの母親が帰ってきたときだった。

「あ、お母さんや。おかえり！」

ミラちゃんは六畳間を三歩でよぎり、玄関へ駆けつけた。ミラちゃんの母親は、部屋にいる健をちょっと驚いたように見て、

「いつも娘がお世話になってます」

と挨拶した。

健の心臓は指先を震わせるほどに鼓動しはじめた。初舞台のときだって、こんなに緊張しなかった。期待と不安を抱いて、ミラちゃんの母親に向き直る。

「お邪魔しとります」

ミラちゃんの母親の目には、明らかに警戒の色があった。この男は小学生の娘と親しすぎるんじゃないかとか、どうして夜に家に上がりこむんだとか、思っていることがありありとわかる。ちがうんです、と健は言いたかった。なにも言えず、ミラちゃんの母親の長いまつげと、つるりとした肌の頬と、光を宿す黒い目を見ていた。

山鳩荘に活けられていた花のように、力強くきれいで遠い。たぶんそう年齢も変わらぬであろうミラちゃんの母親のことが、健にはそう映った。

ミラちゃんの母親は、着替えも化粧を落とすこともせず、夕飯作りに取りかかった。帰ることを望まれているのだろうなとわかったが、健は動かなかった。小さな卓袱台《ちゃぶだい》に、三人分のチャーハンと豆腐のみそ汁が並んだ。

食事中は主にミラちゃんがしゃべった。健はずっと、身の内で怒濤のごとくあふれだした水音を聞いていた。夢のなかの食べ物に似て、夕飯は噛んでも噛んでも味がわからなかった。

恋の川はいつも突然、目の前を流れだす。流れだしたら最後、渡らずにはいられない。渡りきれるか、途中で沈むか、わからなくとも。

「われは蛇体となりしよな」

清姫の嘆きと怒りが、健の耳の奥で轟く。あれは高らかな宣言でもあったんだ。

「まだ少しおかわりもありますけど」

とミラちゃんの母親は言った。

「いえ、けっこうです」

健はみそ汁の椀を置いた。「お名前を教えていただけませんか」
「無間《むげん》地獄へ沈まば沈め」。踏みこんだ川の水は冷たく、流れは逆巻《さかま》いていた。
健はそのことに、深い満足としびれるような高揚を覚えた。

四、ひらかな盛衰記《せいすいき》

「またプリンを食べてるんですか」

健《たける》はあきれて声をかけ、兎一郎《といちろう》と並ぶ形で縁台に腰を下ろした。

兎一郎はプラスチックの小さなスプーンで、カップのプリンをつるつると口に運んだ。

入道雲が、緑濃い山の稜線越しに湧き立っている。向かいの軒先に吊された風鈴が、たまに揺れては気だるげに鳴る。

「こう暑いとな……」

健たちは公演のため、愛媛県の内子町《うちこちょう》に来ていた。昔ながらの家並みが残る町には、内子座《うちこざ》という芝居小屋がある。ここで八月の末に二日間の公演を打つのが、文楽一座の夏の恒例行事だった。

大正時代に建てられた内子座は、いまも現役の劇場として活躍中だ。櫓《やぐら》があり、床も天井もすべて板張りの古い建物は、町の人々に大切にされている。健は、内子座公演を毎年楽しみにしていた。入口にはためく色とりどりの幟《のぼり》。靴を脱いで建物に上がる構造。みしみしと音を立てる薄暗い廊下と、吹き抜けになった場内。舞台を見下ろす、手すりのついた二階席。舞台正面には、身を寄せあって座る枡《ます》席があり、一段上がった壁際には、かつては町の名士の特等席だった桟敷《さじき》が設《しつら》えられている。なにもかもが時代がかっていて、芝居見物への期待を掻き立ててくれる。

唯一困るのが、楽屋が狭くてエアコンがついていないことだ。銀大夫《ぎんたゆう》は亀治《かめじ》とともに、さっさと部屋から抜けだした。内子の町には、大きな商家がいくつも残っている。どこか風通しのいい座敷に上がりこんで、出番までごろごろさせてもらおうという魂胆だろう。

そのほかの技芸員も、ほとんどが内子座の裏手で涼んでいた。細い道に縁台まで持ちだして、浴衣姿で風に当たる。兎一郎はプリンを食べ終え、満足と切なさが一緒になったようなため息をついた。これで、今日三個目のプリンだ、と健は思う。内子座に現れた兎一郎を見たとき、健は目を疑った。兎一郎は小さな旅行鞄のほかに、プリンばかりが入ったレジ袋を提げていた。

「内子には、俺の好きな銘柄を置いてる店がない」

と兎一郎は言った。「去年はそれで、いまいち調子が出なかった」

だからといって、たった二日間の公演にその量は多すぎるだろう。健はそう思ったのだが、兎一郎は暑さのせいで食欲が落ちているらしく、ほとんどプリンしか口にしない。レジ袋の中身は順調に消費されていく。見ているだけで胸やけがしそうだ。

健が微妙に視線をそらしたさきでは、人形の檜竹十吾《ひだけじゅうご》が煙草をふかしている。内子座の外壁に背中を預け、浴衣の裾をはだけてしゃがんだ十吾は、町内会の祭りに参加するヤンキーみたいだ。唇をすぼめて丸い煙を吐きだしては、「見て見て、健さん。かんっぺきな円になった」と、うれしそうに言う。

「うん……」

縁台に座った健は、薄い煙の行方を目で追った。裏通りに面した二階の楽屋の窓には、だれかの肌襦袢が干してある。白い布地が、夏の日射しに照り映えていた。

「どうしたんです、ぼんやりしはって」

十吾が首をのばして、健の手もとを覗きこんできた。「気になるメールでも?」

「なんでもあらへん」

二つ折りタイプの携帯電話を、健は急いで閉じた。蝶番《ちょうつがい》がゆるくなりそうなほど、何度も何度も携帯を開いて画面を確認しているのだが、メールも通話も着信がない。当たり前だと言い聞かせても、まだ期待してしまう根性がつくづく浅ましく感じられる。

健はミラちゃんに残暑見舞いの葉書を出した。自分の住所も携帯電話の番号もメールアドレスも、全部書いて出した。ミラちゃんは葉書を受け取ってすぐに、携帯に連絡をくれた。

「健せんせ、暑さでボケとるんやない?」

とミラちゃんは笑った。「せんせの番号なんて、うちもう知っとるよ」

ボケてるのは暑さのせいじゃないんだ、と健は言いたかったが、「念のためや」と答えるにとどめた。ミラちゃんは無邪気につづける。

「でも、住所がわかってよかった」

「ミラちゃんは来たらあかんで」

と、健はあわてて釘を刺した。

「なんで？」

「なんででもや」

「変なのぉ」

ミラちゃんのむくれた顔が見えるようだった。「なあ、『ラブリー・パペット』ってどういう意味？」

「『かわいい人形』」

「健せんせにピッタリやん！」

「……見にきちゃだめだからな」

健は冷や汗をかきながら、ミラちゃんとの会話を終えたのだった。

真智《まち》さんは、娘に届いた残暑見舞いを、いちいち見たりはしないのかな。健はそう考えてから、ハッとした。なんで俺、なれなれしく「真智さん」とか呼んでるんだ。なんで俺、残暑見舞いを見たら真智さんが俺に連絡をくれるはず、なんて思ってるんだ。ああ、また「真智さん」と呼んじゃったぞ。

諫めても諫めても、健の脳裏にはミラちゃんの母親の顔が浮かび、現実にはまだ一度も呼んだことのない名を、胸のうちで繰り返しつぶやいてしまう。

俺はこんなに臆病者だっただろうか。しばらく修業に打ちこんでるうちに、中学生みたいな恋しかできなくなったみたいだ。鳴らない携帯電話を握りしめ、健は一人で赤面した。

「なにをにやついてる。気色悪いぞ」

と、隣で兎一郎が眉をひそめる。

風がやみ、十吾の吸う煙草の煙が、蒸し暑さのなかにたゆたった。大夫である健の喉に遠慮し、十吾はすぐに煙草を消す。

「午後の部も満員みたいでんなあ」

小屋の角から表のほうをひょいと覗き、十吾はわくわくした表情で言った。客入れはすでにはじまっていて、内子座のまえには、午後の公演を見にきた人々が並んでいるようだ。

「ありがたいことや」

と健もうなずく。年に一度の内子座公演は、地元のひとだけでなく、全国の文楽ファンのあいだで人気が高かった。文楽が「現代劇」だったころの面影を残す劇場で、上演される舞台を楽しんでみたい。そう考えるひとは多い。健も、内子座公演からはいつも刺激を受けている。

「ありがたいけど、気が重いんですわ」

十吾は少し元気がないようだ。

「どうしたんや」

と健が水を向けると、胸のつかえを吐きだしたいとばかりに話しはじめた。

「俺、樋口《ひぐち》の足を遣《つか》ってますやん。でもどうにも、樋口って男に感情移入できませんのや。アホちゃうか、と思ってしまって……。東吾《とうご》師匠はなにも言わはりませんけど、文字どおり、俺が師匠の足引っ張ってる気ぃして、いたたまれませんわ」

なるほど、と健は思った。内子座公演の演目は、『ひらかな盛衰記《せいすいき》』の「松右衛門内《まつえもんうち》の段」と「逆櫓《さかろ》の段」だ。盲腸の療養で休演した幸大夫《こうたゆう》にかわり、健と兎一郎は「松右衛門内の段」の中《なか》に出演している。銀大夫と亀治は、この段の切《きり》だ。「逆櫓の段」を語るのは、中堅どころの若竹草大夫《くさたゆう》だった。

草大夫は、健と同期である青大夫《あおたゆう》の兄弟子にあたる。青大夫と草大夫の師匠は、若竹砂大夫《すなたゆう》という長老格の大夫で、銀大夫とはライバルだ。

銀大夫としては、「松右衛門内の段」はすべて自分が語り、「逆櫓の段」を健に語らせたいところだろうが、健の技量ではまだ心もとない。「逆櫓の段」が草大夫に決まって、銀大夫は少し悔しそうだった。「砂《すな》の字がしゃしゃりでて、弟子をねじこみおった」と言いたい気分らしい。草大夫が「逆櫓の段」を語るのは、年季からいっても実力からいっても順当なので、健はべつに悔しくもない。ただ、銀大夫と砂大夫の子どもっぽい意地の張りあいの狭間にあって、身の縮む思いがする。

さらに問題なのは、「松右衛門内の段」と「逆櫓の段」の中心となる登場人物、樋口次郎兼光《ひぐちのじろうかねみつ》の造形だった。十吾が言うとおり、健もどうも、この樋口という男に共感できない。忠義に夢中になるあまり、周囲の人々を利用し、不幸にしているように思える。

樋口の主遣《おもづか》いは、檜竹東吾だ。十吾の遣う樋口の足には、激しい動きがあり、人形の見せ場だ。

「もたついてるようには見えんで。大丈夫や」

と、健は十吾を慰めたが、十吾は不安顔のままだ。

「そうでっか？」

「そうや。もしほんまに十吾が駄目なら、東吾兄《にい》さんが黙ってはるわけない。いまごろ、舞台下駄が十吾の脳天をかち割っとる」

「銀大夫師匠やあるまいし」

十吾はようやく、弱々しいながらも笑顔になった。「うちの師匠は、そんな乱暴なことしません」

「樋口に感情移入するなど、現代人にはまず不可能だ」

ずっと黙っていた兎一郎が口を開いた。「『ひらかな盛衰記』に出てくる男は、樋口にしろ梶原源太《かじわらのげんた》にしろ、バカじゃないかと思うようなやつばかりだからな」

「それはちょっとひどいんじゃ……」

と健は言ったが、

「そのとおりなんだから、しかたないだろう」

と兎一郎は平然としたものだ。「感情移入は、演じるうえでの絶対条件じゃない。樋口も源太も、ああいうやつなんだ。彼らは、舞台のうえで生きている。俺たちはそれを表現する。ただそれだけだ」

そろそろ準備しないとまにあわないぞ。兎一郎は縁台から腰を上げた。健と十吾も、あわててあとを追う。

「兎一兄さんって、あんなにしゃべるひとやったんですか」

十吾が健に囁いた。「なんや、かっこええなあ」

好物はプリンだけどな、と健は思った。

登場人物はすべて、舞台のうえで精一杯に、それぞれの生を生きているだけ。本当にそうだ。そして、そんな彼らを生かす難しさといったらどうだ。

道は遠い。

昼下がりの明るい光のなかから、内子座へ入る。瞳孔の調節が咄嗟にきかず、健は目をしばたたいた。古い芝居小屋の薄闇は、底知れず連綿とつづく文楽の道を、そのまま体現しているようだった。


樋口ってやっぱり、なんかちょっとずれてるんだよなあ。悪いやつじゃないんだけど。健は床《ゆか》で語りながら、内心で嘆息する。

『ひらかな盛衰記』は、木曽義仲が源義経に討たれたことによって起こる、義仲の遺臣と鎌倉方との攻防を描いた時代物だ。もちろん史実そのままではなく、荒唐無稽な筋が展開される。二つのストーリーが絡まりあっていて、ひとつは鎌倉方の武将、梶原源太景季《かげすえ》が汚名を晴らして功を成せるかどうか。もうひとつは、義仲の遺臣、樋口次郎兼光が主君の仇《かたき》である義経の首を取れるかどうかが、眼目になる。

梶原源太の話には、傾城梅《けいせいうめ》が枝《え》との恋愛譚の趣があり、樋口次郎の話には、「主君の子の身代わりに、自分の子が死ぬ」という、文楽でおなじみの王道パターンを取り入れている。全体に、はらはらしておもしろい作りなのだが、いかんせん、源太も樋口も物をあまり考えない男だから困る、と健は思う。言動や感情の働きが突拍子もなくて、健にはつかみにくい登場人物たちだった。

　健が語る「松右衛門内の段」の中では、樋口は自分の正体を隠し、老漁師の権四郎《ごんしろう》の家に婿入りしている。権四郎から「逆櫓」という操船法を教えてもらい、海戦で義経を討つためだ。

　もちろん権四郎も、権四郎の娘で樋口の妻になったおよしも、そんなこととは知らずに、樋口を婿として夫として、大切にしている。健はどうも釈然としない。気のいい義父と優しい妻をだまし、利用するような真似をする樋口の行為は、武士らしくないんじゃないかと腹が立つ。

「いやさ不器用なやつは、千年万年教へても埒《らち》ゃ明かぬ。まんざら素人のわり様《さま》が、入り婿にわせられて一年も立つや立たず。天下様の弟御の召さるる御舟の船頭するやうになるといふは、俺が教へたばかりじゃない。其《その》身の器用がする事でおじゃらしますよ。めでたいめでたい」

　樋口を婿にしたことで、これから権四郎は大きな悲劇に見舞われる。その運命も知らず、樋口の出世を無邪気に喜ぶ権四郎の言葉を語っていて、健は切なくなった。だが、権四郎が自身の行く末を知らないように、観客もまだ、樋口の正体も権四郎一家がたどる道筋も知らない。ここで健が、切なさを少しでも醸しだしたらだいなしだ。兎一郎の三味線の音《ね》も、あくまで明るい。健はやるせなさをぐっとこらえ、実直な老人になりきって語った。

　内子座に詰めかけた観客は、熱心に本舞台を眺めている。質素な家のなかで繰り広げられる、いまのところ平和な家族のやりとりに注目している。狭い枡席も気にならないようだ。健は自分の声が、内子座を形成する木々に柔らかく受け止められ、場内に心地よく響くのを感じていた。古い劇場の魔力を借りて、人形に魂を入れる声の力が、ふだんよりも増していくような気がする。

　およしには、死んだ前夫とのあいだに幼い息子がいるのだが、ひょんなことから、その息子は義仲の遺児、駒若君《こまわかぎみ》と取り違えられてしまう。ところが樋口は、血はつながらないとはいえ自分の息子が、主君の息子と入れ替わっていることに、まったく気づいていない。兎一郎が樋口を「バカじゃないか」と評する所以《ゆえん》も、そのあたりにあるのだろう。忠義大事のくせに、肝心なところで間《ま》が抜けていると、語っていて健もあきれる。

「およしコレ見や、坊主めが居眠るは、幸い父が添乳《そえぢ》せん。ねんねんころろ」

と樋口は、実は駒若君であるとは夢にも思わず、幼い息子を抱いて別室に入っていく。健と兎一郎の出番はここまでだ。床本《ゆかほん》を閉じ、客席に向かって深く頭を下げてから、床を下りる。

　床の裏で、つづいて出演する銀大夫と亀治とすれちがった。いつもは仲のいい二人なのに、床の裏では視線を合わせることもしない。これから床で斬りあいでもはじめるのではないかと思うほど、互いに緊張感を纏《まと》って押し黙っている。

　師匠を見送ろうと、健は足を止める。銀大夫は、

「よう聞いとけ」

と囁きを残し、床へ上がった。人間国宝の登場に、場内でひときわ大きな拍手が起こった。師

匠は見抜いてるんだ、と健は思った。健が樋口に共感できず、樋口をつかみきれていないことなど、銀大夫はお見通しのようだった。

健は着替えもせず、そのまま床の裏に正座した。エアコンのきいていない狭い空間は、まるでサウナだ。それでも健は身じろぎもせず、師匠の語りをじっと聞いていた。汗がこめかみから頬に幾筋も伝った。兎一郎はそんな健を置いて、いつもと変わらず無言のまま、足早に楽屋へ去っていった。

このごろでは健も、兎一郎が舞台に満足したかどうかが、ほぼ正確にわかるようになっていた。兎一郎はきっと、楽屋に戻ってすぐに稽古をはじめるだろう。練習用の三味線を手に取り、いま終わったばかりのシーンをさらうだろう。

負けられない。負けたくない。ほかのものの芸と比べてではなく、自分のなかにある理想の語り、理想の音に、負けたくなかった。どうせ届きやしないと諦めて、怠惰に流れるような真似はしたくない。銀大夫はその気概を持ちつづけて、いまの芸境に至った。そうありたいと願う健は、全身で銀大夫の声を感受しようと努める。

山で蟬が鳴いていた。羽目板の隙間から、わずかに風が通った。表を歩くひとの話し声が、近づき、ゆっくりと遠くなる。

「未練なと人が笑やせまいかの」

「なんの誰が笑ひましょ」

銀大夫の語りを通して、権四郎と樋口の姿が明確に健の脳裏に浮かんだ。老い先短いいまになって、人生最大の理不尽な悲劇に襲われた男と、死に急ぎ、それでも意志を捨てぬ武骨な男。悲しみのなかにあって互いの心を思いやり、忠義の裏に隠した感情を垣間見せる一瞬。

汗とも涙ともつかぬ塩辛い液体で濡れた顔を、健は掌でぬぐった。

夕方の特急で松山まで出て、そこから飛行機で大阪に帰ることになっている。健は「逆櫓の段」は聞かずに、楽屋に戻った。

出番を終えた銀大夫は浴衣に着替えると、またふらふらと内子の町を散策にいってしまった。公演で何度も来ているが、好奇心旺盛な銀大夫は毎回、こぢんまりとした町を飽きもせず見てまわる。

健は特急の時間までに、二人分の荷造りをしなければならないから大変だ。まにあうかな、とあせりながら、まずはトラックで運びだす見台《けんだい》を解体し、梱包した。着物や床本は手荷物で持って帰る。鞄に詰めるまえに、白い襦袢を楽屋の窓にかけて風に当てた。

大夫は身軽だからまだいいが、三味線や、まして人形ともなれば、道具や荷物が多い。あちこちの楽屋で、あわただしい足音がし、「それ取って！」「どれ！」などというやりとりがあった。

兎一郎は黙々と、三味線と細々《こまごま》した道具を片づけた。床本を丁寧に風呂敷で包む健に、声をかけてくる。

「銀大夫師匠の樋口はどうだった」

「樋口でした」

と健は顔を上げて答えた。「俺が『わからないなあ』と悩んでる部分を軽々と越えて、師匠の樋口は、まさしく樋口なんです。当たり前ですけど、かなわないと思いました」

「そうか」

糸を押さえつづけ、バチを持ちつづけたせいで、兎一郎の指には硬いタコがあちこちにでき、節張って変形している。その両手を正座した膝に置き、兎一郎は窓辺に翻る襦袢を見やった。

「『ひらかな盛衰記』の樋口にまつわる話には、きみにとってとっつきやすい要素があると思うんだが」

そんなふうに感じたことはなかったので、健は身を乗りだして尋ねた。

「どういうところがですか？」

「権四郎は、婿の樋口に見込みがあると考えて、秘伝の逆櫓の技法を教える。樋口は努力と実力で、権四郎から伝えられた逆櫓を体得する」

兎一郎は、視線を室内の健に向けた。「血縁関係はなくても、彼らはあの家のなかで、たしかに家族だった。心でも、逆櫓の技法の伝承という点でも、結ばれていた」

銀大夫と健の関係を言っているのだと、すぐにわかった。

「兎一兄さんはどうして、俺にいろいろアドバイスしてくれるんですか？」

寡黙で三味線を弾くことにしか興味がない、というのが、文楽の技芸員たちのあいだでの、兎一郎への認識だった。健も、兎一郎とコンビを組むまではそう思っていた。

兎一郎はややうつむき、自身の手を眺めているようだったが、やがて言った。

「少し似ているからだ」

「樋口にですか？」

と、驚いて健は言った。

「きみは、木曽四天王の一人に自分をなぞらえるのか」

兎一郎はあきれたと言いたげに、皮肉な口調になった。「大の男が三人がかりでもかなわない、力自慢の樋口に。近所のおかみさん連中から、『素性は知れないけど、なんだかいい男ね』と思われてるらしい樋口に」

はいはい、これっぽっちも俺とは似てませんよ、と健は心中でぼやいた。

「だいいち、俺は忠義のことしか考えないような男に、親切にするのはごめんだ」

兎一郎は腕組みし、なぜか偉そうに胸をそらす。

「じゃ、いったいだれに似てるんです」

ふんぞりかえったまま、兎一郎は黙った。今度の沈黙はさきほどよりも長かった。

「むかし知っていた大夫に」

兎一郎は姿勢を戻して腕組みもほどき、またうつむきかげんになった。「稽古熱心で、床本をよく研究し、いつもいつも義太夫のことで頭をいっぱいにしていた」

兎一郎が過去形で語っていることに、健は気づいた。兎一郎の肩が、浴衣の下でなんだか悄然としたラインを描いている。健は迷ったすえに、

「そのひと、大夫を廃業しちゃったんですか？」

と思いきって尋ねた。

「……いいや」

と兎一郎は言った。その顔には、静かな笑みが浮かんでいた。

「いまも語っていると思う。時々、声が聞こえてくるからな」

蒸し暑い部屋にいるはずなのに、健はなんだか背筋がそそけ立った。まさかそれって、幽霊じゃ……。兎一兄さんなら、江戸時代の名人とも平気で交感しそうな気がする。健は生唾を呑みこんだ。

兎一郎はもう真面目な顔をして、

「本気にしたか?」

と言った。

「いやだな、脅かさないでくださいよ」

健は引きつった笑いを漏らす。大丈夫かな、このひと、と思ったとたん、言葉を冗談にした兎一郎の無表情の陰に、切実な痛みのようなものがあることに気づいた。健は笑いを引っこめ、

「兎一兄さん?」と呼びかけようとした。

だが、兎一郎の内心を問う機会は失われた。鏡台に置いておいた健の携帯電話が、ぶるぶると震えて着信を告げたからだ。

健は飛びつく勢いで携帯電話を取った。狭い楽屋を二歩でよぎった健を、兎一郎が正座したまま首をめぐらせて見ていたが、気にしていられない。画面の表示もたしかめず、中腰の体勢のま

ま通話ボタンを押した。

「もしもし！」

「健《たけ》ちゃん？」

「あ、おかみさん……」

銀大夫の妻、福子《ふくこ》だった。全身から力が抜け、健は畳に尻をつけて座った。

「うちのひと、そこにおる？」

「えーっと」

健は耳に電話を押し当てたまま、膝で歩いた。窓にかかった襦袢の裾に頭をつっこみ、外を覗く。内子座の裏手の通りで、何人かが話したり、ぼんやりと縁台に座っていたりしたが、そのなかに銀大夫はいなかった。

「いまちょっと姿が見えません」

と健は報告した。「どうしはったんですか？」

「そう……」

福子はなにやらためらう様子だ。めずらしく歯切れが悪い。

「もう公演は終わったん？」

「師匠の出番は終わりました。撤収作業中で、予定どおり、晩には戻れると思います」

「そんなら、やっぱり健ちゃんに言うてもらお。そのほうがええやろ」

福子は独り決めしたようで、わけがわからずにいる健に、「よう聞いてや」と言った。

「東京の千早《ちはや》さんが、亡くならはった。明後日がお通夜で、明々後日が告別式や。今度ばかりは寄り道せんと、今日中に帰ってきてって、うちのひとに伝えといて」

「東京の千早さんですね。はい、たしかに」

と請けあい、健は通話を切った。

「どうかしたか」

と、兎一郎が尋ねてくる。

「それが……」

と言いかけたとき、銀大夫と亀治が楽屋に戻ってきた。

「よう歩いたなあ。亀ちゃん、なんや日焼けしたんとちゃうか」

「銀師匠だって」

河原に花でも摘みにいってきた、女学生のような会話をしている。

「ちょうどよかった。師匠、師匠」

健は手招きし、窓辺に座るようながした。

「なんやねん、せわしない」

銀大夫は亀治とともに、楽屋の奥に正座する。兎一郎は鏡台のある壁際によけ、健自身は戸口近くに移動した。

「いま、おかみさんから電話がありました」

そう言うとビクッとするのは、すでに銀大夫の癖みたいなものだ。健は畳に軽く両手をついて、福子の言葉を伝えた。

「東京の千早さんが亡くなりはって、明後日が通夜、明々後日が告別式だそうです」

反応がないので、怪訝に思って健は視線を上げた。銀大夫は木像と化したかのように、すべての動きを止めていた。逆光になって、表情はうかがえない。

亀治が案じるように、銀大夫を見た。健は救いを求めてなにげなく兎一郎をうかがい、また途方に暮れることになった。兎一郎も身を強張らせ、畳の目をにらみつけていた。

なにかを言える雰囲気ではなく、健も黙った。しばらくは蟬の鳴き声だけが、四人のいる部屋に満ちた。

「そうか、千早が……」

銀大夫が振り絞るようなしゃがれ声で言い、健たちはやっと時間を取り戻した。亀治が物思わしげに銀大夫の背中をなで、健はそろりと息を吐く。兎一郎だけが、あいかわらず身じろぎもせず端座していた。短く濃い影が畳に落ちている。

「東京に電話して、手ぇたりとるか聞かんとあかんな」

銀大夫はつぶやく。するべきことを挙げて、なんとか気力を保とうとしているようだった。

「東京へは、健をつれてく。幸大夫は、葬式の手伝いをするのはまだしんどそうやし、兎一郎と組んどるのは健やから、そのほうがええやろ」

「それがよろしいですわ」

と、亀治が穏やかに同意した。健ももちろん、師匠の供をするのに否やはない。指名を受けて、

「はい」と素直に答えたが、疑問もある。

「あの、不躾ですが、その千早さんというんは、どなたなんですやろか」

「おまえ、わかっとらんで話したり聞いたりしとったんか！」

皺の多い銀大夫の顔の、眉間に一段と深い皺が寄った。

「すんません」

健は急いで頭を下げた。

「まあまあ。しゃあないですよ」

銀大夫の不機嫌を察し、亀治がすかさず健をフォローする。「銀師匠、千早さんのこと健に話しはったことあるんですか？」

「……ない！」

と銀大夫は言いきった。なんなんだよ、もう、と健は思った。

「あのな、健」

亀治が優しく、健に教えてくれた。「千早さんは、銀師匠の妹さんなんや」

「え……」

すぐには悔やみの言葉も出ず、健は今度は心から、ただただ頭を下げるしかなかった。しかし、つづく亀治の発言に、健は場面にそぐわぬ頓狂な叫びを上げる羽目になった。

「そして、兎一のおばあさんでもある」

「ええーっ」

「ほんまに粗忽なやっちゃなあ」

銀大夫は嘆息してみせたが、口もとはかすかに笑っていた。「おまえを相手にしとると、悲しんどる暇もないわ」

銀大夫は、手帳と健の携帯電話を持って、表に出ていった。兎一郎も銀大夫のあとに従った。

楽屋に残った健は、亀治に向き直る。

「ということは、師匠と兎一兄さんの間柄は、なんになるんですやろ」

「うーん」

と亀治は、中空に系図を描いているようだ。「兎一にとって銀師匠は、大伯父ということになるかな。銀師匠から兎一を見た場合は……、なんていうんやろ。名称あるんかいな。わからんな」

つまり遠縁ってことだな、と健は納得した。

「銀大夫師匠と兎一兄さんに血のつながりがあるやなんて、ちょっとも知らんかったですわ。みんな知っとることなんですか?」

「どうやろ。銀師匠も兎一も、特に言うたりはせんから。若いののなかには、知らんのもおるんちゃうかな」

健は自分が、なんだか裏切られたような思いでいることに気がついた。そんな感情を生じさせる謂われはないと言い聞かせても、どうにも振り払えない。

どうして師匠と兎一兄さんは、俺に教えてくれなかったんだろう。兎一兄さんの三味線をすごいと思ってきたけど、兎一兄さんは「文楽の家」の生まれなんだ。俺とはちがう。スタートの遅い俺なんて、やっぱりいくら努力しても、芸を自分のものにするのは無理なんじゃないだろうか。

そんなひがみや妬みが、あとからあとから湧いてくる。

亀治は健の思いを、敏感に察したらしい。

「健、俺も研修所出身やで」

と、たしなめるように言った。「文楽の世界は昔っから、世襲制やない。実力と才能だけが物を言うんや」

「はい」

健はうなだれた。「でも俺、なんやあせってしもうて……」

「わかる。だけど、家だなんだに心をとらわれるんは、アホらしいこっちゃ。銀師匠は、そういうんを一番嫌《きろ》うとる」

亀治は力強く告げた。「健は銀師匠の弟子であることを、もっと誇りにせんとあかん。文楽の家の子も、研修所出身も、銀師匠には関係ない。熱意と才能があるか。それだけを見て決めはる。銀師匠がいままで弟子にしはったのは、三人だけなんやで」

「ありがとうございます、亀兄さん」

健は、希望の光が再び胸に射すのを感じた。「でも、三人て……？　幸兄さんと俺と、あと、だれですか？」

「そのうちわかる」

亀治は口をつぐみ、それ以上は答えようとしなかった。

幸大夫も健も研修所に通ってから、プロの大夫の道を選び、銀大夫に弟子入りした。健の知らないもう一人は、文楽の家に生まれ、幼いころに弟子になったのかもしれない。銀大夫と仲違《なかたが》いでもして、ほかの大夫に引き取られたということもある。

師匠と弟子は、一度決めたら、死んでも師匠と弟子だ。鞍替えする可能性は低いが、絶対にないとは言えない。だれなんだろう、と健は思った。そういう噂を聞いたことがないが、俺は技芸員のあいだの人間関係に疎いし、もしかしたら気づけていないんだろうか。

帰りの特急のなかでも、飛行機のなかでも、銀大夫はいつもどおりの態度を見せた。亀治と仲良く並んで座席につき、景色を眺めたり、親しい長老格の技芸員たちと冗談を交わしたりする。十吾は東吾の隣に座っている。東吾になにか話しかけられるたびに、うれしそうに笑う。兎一郎は一人、離れたところにいた。眠っているのか、座席の背からのぞく頭は、ぴくりとも動かない。

そうだ、兎一兄さんと亀兄さんの師匠は、もうこの世にはいないんだ、と健は思った。兎一郎と亀治の師匠は、円熟と華やぎを併せ持つ音色で、名人の名をほしいままにした四世鷺澤《さぎさわ》花太郎《はなたろう》だ。

花太郎は、健が銀大夫に弟子入りしたのと前後して死んだ。先年、世を去った七世笹本岩大夫《いわたゆう》とは、実に四十年以上にわたって、相三味線《あいじゃみせん》の仲だった。この人間国宝コンビの息の合った芸は、義太夫を聞く幸せを観客にもたらしつづけた。

花太郎の葬儀の日、「花のやつを焼かんといてくれ。こいつの手は宝や。俺の生涯の宝なんや」と、老いた岩大夫が人目もはばからず泣き崩れたことを、健は覚えている。冷たい秋雨に濡れそぼちながら、生まれたばかりの赤ん坊を扱うように大切に、兎一郎と亀治が師匠の棺を霊柩車に乗せた姿も。

岩大夫は引退し、二度と舞台に戻らなかった。岩大夫を兄のように慕っていた銀大夫が、師匠に死に別れた兎一郎と亀治の後ろ盾になった。

いろんな師匠と弟子がいて、いろんなつながりの形がある。

「切ないなあ」

と健はつぶやいた。隣の席で青大夫が、

「なんやねん、急に」

と笑った。


東京へ向かう新幹線は、夏休みということもあってか、若い家族づれでほぼ満席だった。健は前日に指定席券を買いにいったのだが、固まった席番を取ることはできなかった。三人がけの座席の、通路側と真ん中に健と兎一郎が座り、通路を挟んで斜めうしろの二人がけの座席に、銀大夫と福子を座らせることにした。

師匠に呼ばれたら、すぐに席を立って世話をしなければならない。健は何度も振り返って、銀大夫の動向に気を配っていた。赤ちゃんが泣いたり、通路を走っては親に叱られる子どもたちがいたりで、車内は静寂とは程遠い。いつ師匠のつむじが曲がるかと健ははらはらしたが、銀大夫は奇跡的におとなしかった。窓際に座った福子が、銀大夫の見張りとお守りを的確にこなしていたからかもしれない。

何度目かの銀大夫の動向確認を終え、健は安心して、ひねっていた体をもとに戻して座席の背に身を預けた。スーツの上着を脱いで座っていた兎一郎が、窮屈そうにネクタイを緩めた。ふだんは滅多にスーツを着ない。劇場への行き帰りは、銀大夫のような重鎮たちは和装だが、健たち中堅や若手は、それぞれ好みの洋服を着る。劇場に着いてしまえば、楽屋ではずっと浴衣だ。

この日も銀大夫と福子は、地味だが上等の絽《ろ》の着物に羽織だった。健と兎一郎はスーツを着ている。健はとっくにネクタイを取って、ワイシャツの胸ポケットに入れていた。

「藤根先生は一緒じゃなくてよかったんですか」

まだ名古屋を過ぎたばかりだが、沈黙に耐えきれなくなって健は言った。

「いいんだ」

兎一郎はいつもどおり素っ気ない。「ほかになにか聞きたいことがあるんだろう？」

「はい」

健は、まえの座席から顔をのぞかせた、幼稚園生ぐらいの男の子を見ながらうなずいた。「兎一兄さんとうちの師匠が親戚とは知りませんでした」

「言ってなかったからな」

男の子は脅えたようにパッと頭を引っこめた。健が隣を見ると、兎一郎の頰の皮膚が動いて、常の無表情に戻るところだった。怖い顔でもしてみせて、男の子を脅かしたのだろう。

「銀大夫師匠は結婚が遅かったし、子どもは娘が一人だ。俺の祖母は、それをずっと気にしていた。祖母は銀大夫師匠の反対を振りきって、駆け落ち同然で若くして結婚したからな」

「どうして師匠は反対したんですか？」

「俺の祖父は寿司職人だった。祖母は寿司が大好物で……」

「はあ」

「銀大夫師匠は、そんな理由で結婚してもうまくいかないと思ったんだろうが、はずれたな。祖父が死ぬまで、夫婦仲はよさそうだった」

「なによりです」

「うん。とにかく祖母は、たくさんいる孫のなかから一人ぐらいは、兄である銀大夫師匠に弟子入りさせようと考えた。俺が五歳のとき、白羽の矢が立った。声が大きかったからだ」

「なんだか妙な理由で動くかたなんですね」

「直感と本能で生きてるような祖母だったが、はずれたな。大阪につれていかれて文楽を見た俺は、大夫ではなく三味線をやりたいと思った。それからは、大阪公演中は週に一回、東京公演中は毎日のように、花太郎師匠に稽古をつけていただいた。最初は、母に付き添われて。そのうち、一人で電車に乗って。遊びのようなもので、楽しくてやめられなかった。花太郎師匠は、ずいぶん俺をかわいがってくださったよ。銀大夫師匠は最初、血のつながったものがこの世界に入ることに、いい顔をしなかった。だが、俺が本気なことを知って、もうなにも言わなくなった。妹の孫だということを、忘れてしまっただけかもしれないが」

「うちの師匠なら、それもありえますね」

都合の悪いことや、自分の芸にかかわらないことを、銀大夫はいつまでも覚えていられないのだ。健と兎一郎は、声を合わせてちょっと笑った。

「中学に上がったのを機に、俺は正式に花太郎師匠の弟子になった。それからは親元を離れて、花太郎師匠の家から学校に通った」

「へえ、そんな子どものころから」

健はびっくりした。「さびしくなかったですか？」

「べつに」

「藤根先生は大阪のひとですよね。いつ知りあったんです」

「それはいま関係ないだろう」

兎一郎は赤くなり、ぼそっと言った。「高校の同級生だ」

「へええ」

健はにやにやした。またまえの座席から、男の子が顔の上半分だけ出したが、タイミングが悪い。兎一郎ににらまれ、すぐ引っこんだ。

「そういえば、オカダマチってだれだ」

と、兎一郎が言った。健は座席から尻が浮きそうに驚いた。

「なんで知ってるんですか！」

今度は兎一郎がにやにやした。

「内子座できみの携帯を借りて、銀大夫師匠が葬儀の打ち合わせをしただろう。その合間に着信があって、銀大夫師匠が出たんだ」

たしかに、着信履歴に「公衆電話」という記録が残っていた。千早の親族とあわただしく連絡を取りあった名残だろうと、健はあまり気にしていなかった。ミラちゃんの母親が電話してくるなどとは、心のどこかで本当には期待していなかったせいもある。

「どうして教えてくれないんですか」

「銀大夫師匠が応対したから、俺は知らないが、急ぎの用件はなかったようだぞ」

健は体をひねり、斜めうしろの銀大夫に向かって、「師匠！」と言った。

「おぇ？」

「内子座で、俺への電話があったそうやないですか。相手のひとは、なんて言うてました」

急に話しかけられ、銀大夫はおかしな返事をしたが、福子に脇腹をつつかれて、すぐに威儀を正した。「ああ、マチさんやろ」

なんでなれなれしく呼ぶんだよ、と健は思った。

「『オカダマチと申しますが、大夫をしてらっしゃる健さんの携帯でしょうか』と言わはるから、『そうです』て答えたんや。『健さんに替わっていただけますか』『無理です。健はいま便所です』」

「ええーっ」

健の抗議の叫びには耳を貸さず、銀大夫は舞台さながらに、ミラちゃんの母親と自分とを語り分ける。

「『ご用件は、この銀大夫が承って伝えときまひょ』『いえ、さして急ぎでもないので、けっこうです。また連絡します』とまあ、こんな感じやったな」

「もう……」

健は天を仰いだ。

「なんや、ありゃおまえのイロか」

「そんなんとちゃいます」

憮然として、健は座席に深く沈んだ。兎一郎はまだにやにやしている。デッキで電話をかけてみようかとも思ったが、健は動かなかった。勇気がなくて動けなかった。大阪に帰ったら、連絡してみればいい。そう考えて、期待に動揺する自分をごまかした。

東京駅の近くに取ったホテルで、五つ紋の喪服に着替えた。羽織袴姿の男三人と、黒い絽の着物の福子は、どこにいても目立った。極道の親分夫婦に、若い衆が付き従っているみたいだ。上野の葬祭場に着いたときも、祭壇を設置していた葬儀屋が、ぎょっとしたように作業の手を止めた。

通夜がはじまる時間までは間があったが、準備はすべて葬儀屋がしてくれるので、健たちが手伝うことはほとんどなかった。銀大夫夫妻と兎一郎は、親戚たちと話しはじめた。花に埋もれて棺に横たわる千早と対面し、銀大夫は黙ってハンカチで目もとをぬぐい、兎一郎は唇を噛んでうつむいた。

健は親族に悔やみを述べ、控え室の隅に退いた。銀大夫の甥や姪、兎一郎の両親や従兄弟らしき人々が、厳粛な面もちで囁きを交わしている。兎一郎が、涙にくれる母親の肩をそっと支えてやっていた。健は思わずもらい泣きしそうになり、兎一兄さんのお母さんって若いなあと、あえてどうでもいいことを考えた。千早の子どもたちは早婚で、それぞれに何人か子がいるようだ。芸一筋に生き、一人娘も結婚して家を出ていき、福子と二人で帝塚山に暮らす銀大夫が、さびしいようにも潔いようにも感じられた。

通夜の客がちらほらと訪れはじめ、健は受付に立った。老衰とはいえ急な死に、呆然とする千早の友人らしき老婦人の姿が、何人もあった。健は一人一人に丁寧にお辞儀し、記帳を頼み、香典を受け取った。

兎一郎が呼びにきて、健は最後のほうに焼香した。遺影ではじめて見る千早は、明るく微笑みを浮かべていた。焼香を終えた健に、福子がいたずらっぽく小声で言った。

「うちのひとに似ず、けっこうな美人やろ」

「はい」

と健はうなずいた。

通夜ぶるまいには、店を継いだ千早の息子が、手ずから握った寿司が出た。室内では集まった客が、寿司を食べビールを飲んで、千早の話をしていた。早めに切りあげるのが通夜の礼儀とは知りながら、思い出は尽きぬようだった。

健は二、三個、寿司をつまんでから、銀大夫が部屋にいないことに気づいた。どこに行っちゃったんだろうと心配になり、探しに出た。銀大夫は千早の祭壇のまえに、しょんぼりと座っていた。

「師匠」

と声をかけると、銀大夫は振り向き、

「湿っぽくなってあかん。健、義太夫を語ったれ」

と言った。

「いや、それはまずいですわ」

「ええから。なあ、兎一」

いつのまにか、兎一郎が戸口に立っていた。通夜の席にも持ってきた練習用の三味線を、片手にぶらさげている。兎一郎は「はい」と言って祭壇のまえに進みくると、

「なんにしましょうか」

と調弦しながら銀大夫に尋ねた。

「そやなあ。『ひらかな盛衰記』の神崎揚屋《かんざきあげや》の段がええやろ」

「神崎揚屋の段」は、恋人の梶原源太に金を用立てたいと思った傾城の梅が枝が、無間《むげん》の鐘をつくシーンだ。無間の鐘をつくと、無間地獄に堕ちて来世の幸福は失われるが、かわりに現世での願いはかなう、という言い伝えがある。故人をまえにして法要の場で語るのに、これ以上ふさわ

しからぬ演目もないだろう。

「いやいや、それはまずいですって」

健は必死に止めに入った。しかし銀大夫は、「ええんや」の一点張りだ。

「千早は、神崎揚屋が好きやった。アホな男に尽くす女の気持ちがわかる、言うてな。やったれ、やったれ」

「師匠が語ったほうが、喜ばれるんじゃ……」

健はあくまで逃げ腰だったが、銀大夫はうなずかない。

「もう何年も生きん俺が、無間の鐘ついたってありがたみがないやろ」

「そんなこと言わんといてください」

銀大夫もいずれ必ず死を迎えるのだということを、健は考えたくなかった。躍起になって反駁した健を、「しゃあないやっちゃなあ」と銀大夫は笑っていなした。

「千早はずっと、俺の芸が大成することを願ってくれよった。この年になっても大成には程遠いが、希望はある。芸を伝えるにふさわしい、若い弟子と三味線がおるからな。おまはんらが、ここでできるかぎりの芸を聞かせよったら、千早も安心して成仏するやろ」

兎一郎が三味線を構え、三重《さんじゅう》を奏ではじめた。健は覚悟を決め、

「世《よ》なりけり。ここも名高き難波津《なにわづ》に」

と、「神崎揚屋の段」の詞章《ししょう》を語りだした。床本がなくても、聞き覚え、出演のあてもないいま一人研鑽に励んだ言葉は、すらすらと喉を通って空気を揺らす。

健の声と兎一郎の音《ね》は、千年屋《ちとせや》の情景を描き、妬心と疑心を抱く梶原源太を描き、思案に暮れて哀しむ梅が枝を描いた。

三味線の太い音色と、響く健の声を聞きつけ、福子が、千早の親族が、通夜の客が、次々に祭壇のまえにやってきた。なにをしている、と咎《とが》めるものはおろか、物音ひとつ立てるものはいない。祭壇を囲むようにたたずみ、健が紡ぐ物語に耳を傾ける。

健は一心に語った。兎一郎の三味線だけを供に、魂は梅が枝の生きる時空へ飛んだ。

華やかな装束で身を飾った梅が枝の、内心は惑い乱れる。恋しい男のために、いっそひとを殺してでも金を手に入れたい。そうまで思い詰める梅が枝の髪から、豪華な象牙の簪《かんざし》が抜け落ちる。祭壇のまえに居合わせただれもが、冷たい地面にばらばらとこぼれる簪の音を聞いたと思った。

金糸銀糸で刺繍のほどこされた、重い打掛《うちかけ》も脱げてしまう。髪を振り乱した梅が枝は、そんなことはもう気にしない。

「思ひ詰めたる我が念力。この手水鉢《ちょうずばち》を鐘となぞらへ」

撞木《しゅもく》に見立てた柄杓《ひしゃく》をかざし、手水鉢を打ち鳴らそうとする。

「未来永々《えいえい》、無間堕獄《むげんだごく》の業《ごう》を受くとも、だんないだんない大事《だいじ》ない。無間の鐘と観念す」

健が最後の言葉を語り終え、兎一郎の緊迫した三味線の音がやむと、暫時ののち、拍手が起こった。頬に涙を伝わせた老婦人もいたが、一同、総じて晴れやかな表情だった。

告別式も滞りなく済ませ、銀大夫一行は翌日の夜に帰阪した。

西の空は雨雲に覆われていた。

帝塚山まで銀大夫と福子を送った健は、福子に借りた傘を差して、ラブリー・パペットに戻ってきた。スーツのズボンの裾は、湿って色を濃くしている。シャワーを浴びて、今夜は早く休もう。そう考えた健は、ちょいと傘を傾けた。岡田真智が立っていた。ラブリー・パペットの向かい、寺の外壁の作る闇に紛れるようにして、健を見ていた。

真智は健のほうへ歩いてきた。街灯の明かりのなかに出て、動きを止めた健のまえに立った。いつから待っていたのか、真智の服も髪も肌も濡れていた。

健が傘を差しかけると、真智は少し笑って健を見上げた。

「おもしろいところに住んではるんやね」

ラブリー・パペットの毒々しいネオンに照らされ、真智の左頬は紫に染まっている。芸への熱意のほかはなにも持ってこなかった自分を、健ははじめて恥ずかしく感じた。

「どうしはったんです。なんでここに……」

「なあ。まどろっこしいことは、なしにせえへん?」

真智は砕けた口調で、健をさえぎった。「あんた、うちのこと好いとるやろ」

「はい」

と健は言った。声がかすれた。

「服を乾かしたいわ。部屋に上げて」

真智はさきに立って、ラブリー・パペットに入っていった。健は操られるように、真智につづいた。

こんな夜に、ミラちゃんは一人でどうしてるんだと、聞くことも忘れた。

五、本《ほん》朝《ちょう》廿《にじゅう》四《し》孝《こう》

汗も引いてきたので、健《たける》はベッドに身を起こした。

水音に混じって、かすかに鼻歌が聞こえてくる。音程が不安定に波打っている。歌はあんまりうまくないな、と健は思い、シャワーブースに目をやった。ガラスは湯気で曇っているが、真智《まち》のシルエットは充分に見てとれる。

はじめて真智がラブリー・パペットを訪れた夜、真智と連れだった健は、遠慮がちに受付のまえを通りすぎようとした。もちろん誠二《せいじ》は目敏《めざと》くて、磨りガラスの下部からにゅっと右手を突きだしてきた。見ると、人差し指と中指のあいだにコンドームを五個も挟んでいる。

健はあわてて、真智の背中を廊下のほうへ軽く押しやった。

「一番奥の部屋です。鍵はこれ」

真智がちょっと微笑んで歩きだしたのを確認してから、誠二の手をはたく。

「なんのつもりや、これは」

「サービスや。持ってけ」

「困る。そういうつもりやないかもしれんし」

手が引っこみ、かわりに誠二の目が隙間から覗いた。

「アホか、健。なにをおぼこいこと言うとるんや。ほかにどないなつもりがあって、女がラブホに来るっちゅうねん」

健だってそう思う。ただ、期待を裏切られたときに落胆しすぎないよう、心に予防線を張っていただけだ。

「ほら、持ってけ」

と、再び誠二の手が出てきた。なぜかひとつ増えて、コンドームが六個になっている。

「いざ、ゆうときに、コレがないほうが困るやろ」

「いくらなんでも、そんなにいらん。半分でええ」

「アホか、健」

と誠二はまた言った。「一晩でどんだけするつもりや」

健は羞恥と小さな憤りで顔を赤くした。

「からかうな」

「はは。まあ、今後も見据えたサービスちゅうことで」

受付カウンターに六個のコンドームを置いて、誠二の手は消えた。健はしばしためらったのち、それをズボンのポケットに入れた。

今後があるとも思えなかった。真智が訪ねてきたのは、なにか相談事ができたとか、ミラちゃんと親しくするなと釘を刺したかったとか、そんなところだろう。たまたま雨に降られたから、こういう展開になっただけで、きっと気まぐれだ。

まずは熱いシャワーを浴びてもらい、そのあいだにタオルと着替えの用意をして……。女のひとが着てもおかしくないような、Tシャツやスウェットはあったかな。濡れた服はクリーニングに出したほうがいいんだろうけれど、そんなサービスはラブリー・パペットにはないし。

算段をつけながら部屋のドアを開けた健は、真智が全裸でベッドに座っているのを見て、戸口に立ちすくんだ。いつまでたっても動かない健に焦れたのか、真智はベッドから下りて歩み寄ってきた。

真智の腹は平らで、つるりとしていた。ここにミラちゃんが入っていたなんて、信じられないな、と健は思った。ほかの部分にも触れたり見たり、もっといろいろしたりしたが、健はそのころにはもうなにも考えられず、ひんやりとなめらかな真智の肌が、自分と同じ体温になっていくのを感じていた。

それから二週間弱が経ち、真智の訪れも今夜で三回目だ。

健はシャワーブースから視線をそらした。湯気でぼやけた影ですら、見ているとまたおかしな気分になってくる。

なんでこんなにがっついてるんだ、と恥ずかしくなった。煙草を吸えるといいのだけれど。手持ちぶさたでたまらない。床に落ちていたトランクスを穿き、小ぶりの冷蔵庫のまえにしゃがんだ。

シャワーブースのガラス戸が背後で開き、あたたかく湿った空気とともに真智が出てきた。べッドのほうで服を身につけている気配がする。

健はタイミングを見計らい、

「なにか飲みますか」

と声をかけた。来たときと同じスーツ姿に戻った真智は、

「ううん、ええわ」

と言った。「すぐに帰らんと。ミラには二時間だけ残業する、て言うといたから」

健はペットボトルの茶を飲んだ。真智は壁に備えつけられたドライヤーで、髪の毛を乾かしだす。

その様子を眺めながら、健ものろのろと服を着た。真智さんはどういうつもりなんだろう、と思う。言葉があってはじまった関係ではないから、どうも気持ちを汲みかねた。もちろん健だって、「告白し、デートを重ね、よい頃合いを見て」などと、厳密に手順を踏むべきだと考えているわけではない。

通常であれば、健は真智と立派に「つきあっている」状態だと言えるだろう。だが、真智にはミラちゃんという娘がいる。そして健は、ミラちゃんの父親がどうしているのか、この世にいるのかいないのか、真智とは別れたのかそうではないのかすら、知らない。

こういうパターンははじめてで、いまの状況をどう認識すればいいのか、いまいちよくわからなかった。

「それじゃ、うち行くわ」

と真智がバッグをつかんだ。もう家に帰るだけというのに、ちゃんと化粧もし直している。

「送ります」

という健の言葉に、真智は黙って首を振った。健はペットボトルを持ったまま、真智と部屋を出て、ホテルの出入り口まで廊下を歩いた。

「俺、明日から東京公演なんです」

「あ、そうなん。いつ帰ってくるん？」

「二週間後」

「じゃあ、そのころ連絡する。気ぃつけてな」

「はい。おやすみなさい」

手を振って大通りのほうへ去っていく真智を、健はしばらく見送った。

自動ドアをくぐって、受付のまえをよぎろうとしたら、誠二がちょうど事務所から出てきた。

「なんや、また女が来とったわりには、しょぼくれとるやないか」

「うん……」

「振りまわされとるなあ」

誠二は「けけっ」と笑い、持っていたじょうろで、葉に埃を積もらせた観葉植物の鉢に水をやった。

健は部屋で一人、東京公演のための荷造りをした。旅仕度は慣れたものだが、今回ばかりは、作業は遅々として進まなかった。持っていく着替えを選んでいても、無意識のうちにため息がこぼれてしまう。

東京になど、行きたくなかった。いま真智と離れるのが不安だった。大阪に帰ってきたときには、もとのよそよそしい態度になっているのではないかと思えてならない。

シーツを換え、シャワーを浴びてからベッドに入った。枕元に置いた床本《ゆかほん》を開く気にもなれず、何度も寝返りを打った。

こんなことは、文楽の大夫になると決めてから、はじめてだ。なんだかまずいぞ、と健は感じたが、どうしようもない。

真智の言動のひとつひとつが、脳裏から消えてくれなかった。


「ちょいと座れ、健」

と銀大夫《ぎんたゆう》に言われ、健は国立劇場の楽屋の畳に腰を下ろした。銀大夫は、健が配合した「蜂蜜入りヨーグルト」の器を左手に持ち、右手には銀色のスプーンを握っている。

健を呼び止めたにもかかわらず、銀大夫はしばらくスプーンでヨーグルトをかきまわしていた。メールの着信がないか、早く表で確認してきたいな、と健は考える。そわそわしながら師匠の言葉を待っていたら、銀大夫はようやくヨーグルトをすくって口に入れ、

「甘いなあ」

と言った。

「え、いつもと同じにしたつもりやったんですけど」

健は首をのばし、銀大夫の手もとの器を覗きこむようにする。

「アホ」

銀大夫がスプーンの背で、ぺちりと健の額をはたいた。

「ちょっと、やめてください師匠。汚いなあ」

健は額を手の甲でこする。銀大夫は健の皮脂がついていないか確認してから、スプーンを器に戻した。

「だれがヨーグルトの話《はなし》しとるか。おまはんの最近の姿勢についてや」

同じ楽屋には、盲腸が完治し、東京公演から本格的に復帰を果たした幸大夫《こうたゆう》もいるが、「君子危うきに近寄らず」を実践するつもりらしい。鏡台に向かって正座し、身じろぎもせずに床本を読んでいる。

九月の東京公演の演目は、『本朝廿四孝《ほんちようにじゆうしこう》』だ。長くて複雑な筋を持つこの芝居を、一日かけてぶっ通しで上演するから、技芸員たちは体力的にフル回転なうえに、神経もつかう。

楽屋のスピーカーから、「足利館大広間《あしかがやかたおおひろま》の段」が聞こえてきた。公演三日目の幕が開いた。まだ三日か、と健は思った。

「ほら、それや」

と銀大夫がスプーンを突きつけてくる。「いま、『はよ大阪に帰りたいなあ』て思たやろ」

「そんなことあらしまへん」

と、健は内心の動揺を押し隠しつつしらを切った。

「俺の目は誤魔化されへんで、健」

銀大夫はヨーグルトを一気にすすりこむと、空いた器を畳に置く。「いまが一番、大事なときやのに、いったいなにに気ぃ取られてるんや」

「いえ、べつに俺は……」

「女やろ」

銀大夫は断定する口調だ。健が思わず肩を揺らすと、

「ほんまに女なんか！」

と、銀大夫は正座したままにじり寄ってきた。にやにやしている。健は、銀大夫の当てずっぽうな言葉にまんまとはめられたことが悔しく、むっつりと黙りこくっていた。銀大夫は左手をのばし、幸大夫の背中を叩いた。

「聞いたか、幸大夫！　こいつ、いっちょまえに色気づいとるらしいで」

「師匠。健はずいぶんまえから、一丁前の成人です」

幸大夫の冷静な返事に、銀大夫はふと真顔に戻り、「そやったかな」と首をかしげた。

「健、今年で義太夫やって何年になる？」

「師匠にはじめてお会いしたのが、研修所に入った十八のとき。二年後に正式に師匠に弟子入りしてから勘定すると、今年で十年目です」

「なんや、まだ二十歳《はたち》そこそこやと思っとったわ」

勝手に時間を止めていたらしい銀大夫は、拍子抜けした顔つきになった。「いい年して子ども

やなあ、健は。十年目いうたら、いよいよ芸道に深く足踏みいれていかなあかんときやで。なんでいまさら、女に溺れとるんや」

「溺れてなんかいまへん」

「おもしろそうなお話ですね」

と声がし、戸口にかかった暖簾のあいだから、亀治《かめじ》の顔がのぞいた。「銀師匠、お客さんです」

亀治につづいて楽屋に入ってきたのは、赤坂のアケミだった。

「銀ちゃーん、来ちゃった」

「おお、アケミちゃん」

銀大夫はとたんに相好を崩し、アケミと抱擁しあう。「よう来た、よう来た。いまな、うちの弟子の恋愛相談に乗ったろと思うてたところや」

「えー」

と健は言い、

「私、それ関係は得意よ」

とアケミは胸を張ってみせた。

「亀ちゃん、悪いが兎一《といち》も呼んできてくれや」

銀大夫の指示を受け、亀治は楽屋から廊下へ出ていった。暖簾をくぐる寸前に、亀治は健をちらっと見た。笑いと同情をないまぜにしたその目は、「諦めるんやな、健」と雄弁に告げていた。

アケミは健が用意した座布団に座り、銀大夫の右肩にしなだれかかった。銀大夫の左隣には、女房役をもって任じる亀治がぬかりなく座を占めた。兎一郎《といちろう》は、食堂でプリンを食べていたところを亀治に無理やりつれてこられ、健の隣に憤然とした表情で正座した。

楽屋内の人口密度が上がっても、幸大夫は床本を読みつづけている。厄介事には意地でもかかわりあいになりたくない、という意志表示のようだ。

「さて、健。だれと交際しとるんや」

と、銀大夫が追及の口火を切った。もう幕も開いたのに、こんなことしてる場合なのかなあ、と健は思う。

「交際というか……」

「そんなら遊びか。遊びはあかんで」

「そうよ、そんな浮ついた気持ちじゃ、相手のひとがかわいそう」

銀大夫の発言に、アケミが力強く同意する。健は「えー」と思ったが、黙っていた。

「まあまあ。そないに健を責めんでもええやないですか」

と、亀治が割って入る。「だいたい、相手はだれなんです」

「オカダマチだろう」

兎一郎があっさりと言った。

「なんでわかるんです！」

びっくりした健に、兎一郎は憐れむような眼差しを寄越した。

「隠しごとのできないやつだな。きみの周囲にある女の影といったら、電話をかけてきたオカダマチのほかには、新津小の生徒しかいないじゃないか。まさか、小学生に手は出さないだろう」

「当たり前です」

と言いながら、健は額に浮きでた脂汗をぬぐった。

「新津小の生徒って、楽屋にも来たミラちゃんのことやな」

亀治はおっとりと言い、記憶をたぐったらしい。「ちょっと話しただけやけど、たしかあの子の名字もオカダやったような……」

楽屋にいるものの視線が、いっせいに健に集まった。幸大夫までもが、鏡を通して健を見ている。健は身を縮めた。

「そうなんか、健！」

銀大夫が震えながら問いただす。「おまえ、ほんまに子どもに手ぇ出したんか！」

「それ、ちゃいますやろ」

と、亀治がつっこみを入れる。兎一郎は「朝から疲れる」と言いたげに、ため息をついた。

「オカダマチというのは、あの女の子の母親だな？」

健は観念し、「そうです」と答えた。

「子持ちか！　人妻か！」

銀大夫は打って変わって、うきうきした声音になった。「渋いとこ狙うなあ、健」

「そんなこと言うてる場合ですか、師匠！」

ついに耐えきれなくなったのか、幸大夫が勢いよく振り向き、会話に乱入してきた。「弟子が不倫しとるんですよ、諌めなあかんでしょう！」

「あの、幸兄《にい》さん……」

と、健はおずおず言った。

「なんや！」

幸大夫の眼光に射すくめられながらも、健はなんとか言葉をつづける。

「不倫かどうかは、はっきりしませんのや」

「それって、どういうこと？」

当然の疑問を差し挟んだアケミに、健は向き直る。

「俺が真智さんと会ってることは事実です。でも、真智さんに旦那さんがいるかどうかは、知らないんです」

「知らんて？」

亀治が首をかしげた。「そこはちゃんと聞くべきところやないか。ミラちゃんという子もおるんやし」

「ろくに話もせず、セックスばっかりしてるのか」

と、兎一郎が朝にふさわしからぬ単語を発する。健は言葉に詰まった。

「やっぱり、女に溺れとるんやないか」

銀大夫は、獲った鬼の首を両手で掲げんばかりに得意気だ。

「もしかしてあんた、はじめてなんじゃない？」

と、アケミが健の表情をうかがってくる。

「ちがいますよ」

と健は首を振った。

高校のときから、わりといつも彼女はいた。はっきり言って、モテていたほうだと自分では思う。

健は勉強が得意ではなく、高校生のころは遊びのほうに熱心だった。教師たちは健のことを、「グレている」「要注意の生徒」と目していた。そして、そういうちょっと崩れたにおいのする男を好きな女は、一定数いるものだ。

気楽で怠惰で女にも不自由しない高校生活に、健は満足していた。修学旅行で、大阪の国立文楽劇場に行くまでは。

健の生まれは東京だが、父親の転勤で、高校時代は札幌で過ごした。修学旅行先が関西だと知ったときには、「中学のときと一緒じゃねえか」と不満だった。さらに、強制的に国立文楽劇場で文楽鑑賞をさせられるとわかり、「うぜえ、絶対ばっくれる」と心に決めて飛行機に乗った。

教師たちも、健をはじめとする「不良グループ」が遁走を試みることなど織りこみ済みだ。監視の目は厳しく、健は結局、国立文楽劇場の狭い座席に縛りつけられるように座る羽目になった。

幕が開くまえから、健は熟睡した。前夜に大阪のホテルを抜けだし、仲間とともに遅くまで道頓堀界隈をぶらついたためだ。いびきもかいていたかもしれない。心地よく眠りに身を委ねていた健は、突然、だれかに石をぶつけられたように感じて目を開けた。

喧嘩を売る気か、と思い、あたりを見まわしたが、制服を着た生徒たちは一様におとなしく舞台のほうを向いている。眠っているものも、配られた解説プリントを暇そうに読んでいるものもいる。石を投げたものなど、いそうにない。だいいち、劇場内で石を投げるわけがない。

正面の舞台では、人形たちが動いていた。それなりに立派だが地味な家のなかで、槍を持った女と刀を持った老人が、なぜか乱闘を繰り広げている。いったいどういう話なんだ、と怪訝に思った瞬間、健は再び、なにかが体にぶつかってくるような感覚を覚えた。

咄嗟に、視線を右方向へやる。そこにも小さな舞台があり、時代劇そのものの恰好をした二人の男が座っていた。一人は無表情のまま三味線をかき鳴らし、一人は刻々と表情を変えながら、ときに歌うように、ときに低音で囁くように、なにやら熱心に語っている。どちらも、健の祖父と同じぐらいの年齢だ。

だが、その体から発散されるエネルギー、声と音とに健は圧倒された。体ごと魂を揺さぶられそうなほど、こんなに迫力を宿したものをほかに知らなかった。

健は同時に、石を投げた張本人がだれなのかを悟った。いま、三味線の隣で語っている老人だ。もちろん、実際に石を投げたわけではない。老人の気迫が、びしびしと健にぶつかり、健の目を覚まさせたのだ。

受けて立とうじゃないか、と健は思い、老人にメンチを切った。道ですれちがった他校の生徒と向きあうときぐらい真剣に、老人をにらみすえた。老人も健の視線に気づいたのか、威嚇するようににらみ返したまま語りつづける。

　勝負は健の負けだった。話の筋もよくわからぬまま、いつのまにか老人の語りに引きこまれ、しまいには石つぶてではなく、きらきらと光る星の欠片《かけら》を全身に浴びているような心持ちになった。眠気など完全に忘れた。

　あとでこっそり、健は自分の見聞きしたものがなんだったのか調べた。健とのメンチ合戦に勝った老人は、人間国宝の笹本銀大夫だった。隣にいたのは、人間国宝になるまえの鷺澤蝶二《さぎさわちようじ》。現在は銀大夫と袂《たもと》を分かち、銀大夫のライバル砂大夫《すなたゆう》と組んでいる三味線だ。

　銀大夫が語っていたのは、『仮名手本忠臣蔵《かなでほんちゆうしんぐら》』の「山科閑居《やましなかんきよ》の段」だったこともわかった。健は文楽が気になってたまらなくなってきた。だが、定期公演のある大阪や東京までは、遠くて行けない。テレビ中継を必ずビデオに録り、家族の寝静まったリビングで眺めた。

「お兄ちゃん、このごろエッチなビデオ見てるでしょ」

と妹に言われたが、

「うるせえ」

とひとにらみして黙らせた。年寄りじみていると笑われるのがいやで、自分が文楽に心奪われたことは、家族にも友人にも打ち明けられなかった。

　しかし、いよいよ高校卒業後の進路を決めなければならなくなったとき、健はとうとう「文楽の研修所に入る」と親と教師に宣言した。地を這うような成績なのに、このうえ無理して大学に入って勉強などしたくなかったし、かといって、父親のように会社勤めができるとも思えない。

高校生の健が、一生をかけてやってみたいと心から思えた職業は、文楽の大夫だけだった。親も教師も驚いていたが、「まあ、試しにやってみろ」と最後には折れてくれた。厳しい修業に、どうせすぐに音を上げると思っていたのだろう。

健は本気だった。本気で研修所のカリキュラムに取り組み、教えを吸収し、銀大夫に弟子入りしてからも熱心に稽古を重ねていまに至る。そのあいだに彼女がいたこともあるが、修業を優先する健はいつも愛想をつかされてきた。技芸員に登録されて二年目に、五人目の彼女と三カ月で別れたとき、健は悟った。しばらく女とつきあうのはやめるべきだ、と。芸の道を極めたいなら、惚れた腫れたの悶着は邪魔なだけだ。いまは修業に邁進したほうがいい。

ちなみに銀大夫は、一修学旅行生の健のことなど、当然覚えていなかった。研修所に講師として現れた銀大夫は、健が銀大夫とのにらみあいに負け、その義太夫に心奪われて研修生になったと聞き、「かかか」と笑った。

「奇特なやっちゃ。さては、客席で居眠りしとったな。寝とる客を見つけたら、にらみつけて語るようにしとるんや」

健はがっかりしたが、「おかしなじいさんだなあ」とも思い、銀大夫に弟子入りしようと決めたのだった。

「えーと、ということは……」

と、アケミが指折り数える。「げっ。あんた八年も彼女がいなかったの！」

「まあ、そんぐらいは」

健は顔を赤くし、いっそう体を小さくした。

「適当な息抜きもなしで？」

と亀治が心配そうに眉をひそめてみせる。

「はあ、金もないですし」

「若い身空に、なにが哀しゅうてそんな坊さんみたいな生活しとるんや」

銀大夫はおおげさに嘆息し、

「いまは坊さんのほうがよっぽど、奔放な暮らしをしてますわ」

と、幸大夫までが気づかわしげに健を見る。

「それで、ひさしぶりに女ができて溺れちゃったわけだな」

兎一郎はあいかわらず、歯に衣着せぬ物言いをする。

「あの、銀大夫師匠」

いたたまれず、健は話題を変えようと試みた。「そろそろ出番です。準備しはったほうがええんとちゃいますやろか」

「おお、そうやな」

銀大夫は座布団から腰を上げた。「アケミちゃん、今日の舞台はおまはんに捧げる」

「いやーん、うれしい！」

とアケミは身をくねらせた。「で、銀ちゃん。この色ボケのお弟子さんはどうするの？」

色ボケってなんだ。せっかく師匠の気をそらしたのに。健は歯噛みする。銀大夫は健を見下ろした。

「そやな、女と別れるこっちゃな」

「えー！　いやですよ！」

別れるもなにも、つきあっているのかどうかも定かではない。

「アホゥ！」

銀大夫は健の脳天に扇子を振りおろした。「芸の邪魔になるような面倒なもんは、とっとと切らんかい！」

涙目になって頭頂部をさすりながらも、健は納得がいかず沈黙で抵抗の意を表した。

若いアケミと年甲斐もなくいちゃいちゃしている銀大夫に言われても、ちっとも説得力がない。


銀大夫が語るのは、『本朝廿四孝』の山場、「勘助住家《かんすけすみか》の段」の前半部分だ。

お種《たね》は夫の慈悲蔵《じひぞう》から、我が子峰松《みねまつ》に会うことをきつく戒められ、悲嘆に暮れる。乳飲み子の峰松は雪の降る夜に門外に置き去りにされ、泣いている声が家のなかまで聞こえてくる。峰松かわいさと、忠義を全うしようとする夫の言いつけとのあいだで懊悩するお種は、ついにこらえきれず戸を開けて我が子を抱きあげる。

健は舞台袖に立ち、本舞台を見ながら銀大夫の語りを聞いていた。

「また降りしきる白雪に外に泣く声八寒地獄《はっかんじごく》、劔《つるぎ》を飲むより身にこたへ思はず知らず転《まろ》び降り、『砕けよ、破《わ》れよ』と念力に外《はず》るる戸より身は先へ」

畳みかけるような詞章《ししょう》から、切迫した母親の心理が怒濤のように伝わってくる。本舞台では檜竹東吾《ひだけとうご》の遣《つか》うお種が、壊さんばかりの勢いで戸を引き開け、泣いている小さな峰松を引ったくるように抱きあげた。健は胸が詰まった。

「コリヤ坊よ、坊よ」

銀大夫は追撃の手を緩めない。ようやく子どもを抱けたお種の切なさと喜びを、情感たっぷりにあやす言葉にこめてみせる。大夫、三味線、人形が一体となった緊密な舞台に、客席にも高揚感とともにすすり泣きが広がった。

「絶好調やな、銀大夫はんは」

背後から囁かれ、健は振り返った。銀大夫と同じく、位の高い「切場語《きりばがた》り」である若竹砂大夫が立っていた。「勘助住家の段」は重要なシーンなので、後半部分は砂大夫が語る。健はあわてて会釈した。砂大夫のうしろには、弟子の青大夫《あおたゆう》が付き添っている。

「ところで。おまえ、女で身を持ち崩しそうなんやてな」

「えっ」

健が驚いて顔を上げると、砂大夫は「ふふん」と笑った。

「楽屋であんだけ大声で話しとったら、すぐに技芸員じゅうに広まるわな。女好きの師匠を見習うのもほどほどにして、芸に精進しなはれや」

砂大夫は床《ゆか》の裏に消えた。嫌味を言われた健に、同期の青大夫は気の毒そうに目配せしてみせたが、師匠のそばで滅多なことは言えない。黙ったまま、砂大夫につづいて健のまえから去ってていった。

少し遅れて、鷺澤蝶二も姿を現した。三味線の人間国宝である蝶二は、音色は名前のとおり華やいで流麗だ。しかし本人は枯れ木のごとく細身で、笑みひとつ浮かべるでもない。堅実すぎる性格が、銀大夫といまいち合わなかったのだろうと噂されている。

その蝶二までもが、健に気づいてちょっと唇の端を上げてみせた。どうやら健の話は、尾鰭《おひれ》がつくどころか大量に産卵する勢いで、堅物の蝶二の耳にも早々と届いているらしい。

床を下りた銀大夫を、健は幸大夫とともに出迎えた。幸大夫は、「勘助住家の段」の直前の「景勝下駄《かげかつげた》の段」に出演し、そのまま床の横で銀大夫の語りを聞いていた。だからまだ、銀大夫も幸大夫も、技芸員のあいだで健の色恋沙汰が広まっていることには気づいていないはずだ。

しかし、この平穏が破られるのも時間の問題だ。早晩、健に関しての囁きと笑い声が二人の耳にも入り、真智とのことをどうするのか、最終的な決断を迫られるだろう。

健としても決断したいところだが、判断材料が少なすぎる。健は真智と真剣につきあいたいが、真智の気持ちがどうなのかはわからない。大阪と東京に離れてしまっているから、問いただすこともできない。

どうしたものかな、と健は困惑した。第一部と第二部のあいだの休憩時間に、やっと劇場の外で携帯電話を確認することができた。メールの着信が一件あった。真智からかと思って急いで開く。

ミラちゃんだった。

「東京公演はどうですか。来月は新津小学校で、義太夫の発表会やね。お母さんも見にきてくれるて言うし、うち、楽しみにしてるねん。一人でもちゃんとけいことるよ。健せんせも元気でやってぇな。ミラ」

なにも知らないミラちゃんの無邪気なメールに、なんと返信すればいいのかわからず、健はしばらく立ちつくしていた。

健の出番は、午後の部の「道行似合《みちゆきにあい》の女夫丸《めおとがん》」だったが、散々な出来に終わった。大夫と三味線が五人ずつ並んだ床で、健の声は明らかに精彩を欠いた。兎一郎の三味線が呼びかけるように鳴っても、応えることができない。

「道往《ゆ》く人も指ざして、あやかり者とあだ口《くち》に、浮名《うきな》立つるもア、恥づかしや今のわが身はなかなかに、恋も情けも荒れ果てし」

真智さんとなし崩しに寝ているのは、慕ってくれるミラちゃんを裏切る行為ではないか。だけどいまさら、なかったことにして忘れるなどできそうにない。健の迷いはそのまま声に表れ、ボロを出さないよう、ほかの四人の大夫についていくので精一杯だった。

床を下りた兎一郎は、有無を言わさず健の腕を取り、稽古場まで引っ張っていった。きっちりと戸を閉め、突き飛ばすようにさきに部屋へ入れた健に向き直ると、兎一郎は怒鳴った。

「なんだ、いまの舞台は！」

兎一郎の全身は憤りで震え、左手に持った三味線をいまにもへし折ってしまいそうだ。「気の抜けた語りをする大夫と組んでいられるほど、俺はおひとよしでもないし、芸に対して不熱心でもない！」

兎一郎がこんな大声をだすのははじめてだった。芸への中途半端な自分の姿勢が、兎一郎のプライドをひどく傷つけた。銀大夫に叱られるよりもこたえ、健はその場に正座して深々と頭を下げた。

「申し訳ありません！」

兎一郎は波立った感情をなんとか抑えようとして、しばらく呼吸を整えていた。やがて健のまえに静かに正座し、いつもどおりの口調で尋ねてくる。

「きみは、自分にどれぐらい時間が残っていると思う」

質問の意味がよくわからず、健は兎一郎の顔を正面から見た。兎一郎は目に苦い陰を宿し、淡々とつづけた。

「たいした病気も怪我もせず、存分に長生きしたとしても、あと六十年といったところだぞ。たった六十年だ。それだけの時間で、義太夫の真髄にたどりつく自信があるのか。三百年以上にわたって先人たちが蓄積してきた芸を踏まえ、日々舞台を務め、後進たちに伝承し、自分自身の芸を磨ききる自信と覚悟が、本当にあるのか」

健はやはり黙っていた。今度は、答えたくても答えることができなかったからだ。兎一郎の問いかけに、自信をもって「はい」と言えるような実績も芸も、健にはまだない。

「いいか、俺たちには余計なことをしている時間はない」

兎一郎は冷徹ですらある響きで言った。「義太夫の奥深さと歴史に比して、一人の人間に与えられた時間はあまりにも短い。その短い時間のなかで、俺たちは自分の芸道を突きつめつくし、あとにつづくものに伝えていかなきゃならない。これは、義太夫を選んだものの使命だ。うかうかとときを過ごしていたら、プロの大夫として手遅れかつ命取りになるということを忘れるな」

「はい……」

返す言葉もなく、健はうなだれた。そういえば兎一郎は、はじめて一緒に稽古した日にも、「長生き」と言った。「いつか、銀大夫のように山科閑居の段を語りたい」と夢を語った健に対し、「長生きすればできる」と。

もしかしたら兎一兄さんは、志半ばにして芸の道を歩みやめねばならなかった大夫を知っているのかもしれない。その記憶があるから、これほど親身になって俺を叱咤し、苦言を呈するのかもしれない。

健はそう考え、兎一郎の過去をちゃんと知りたいと思った。これからも兎一郎と組んでいきたかったし、兎一郎の三味線に恥じぬ大夫になりたかった。

兎一郎は悄然とした健を見て、言い過ぎたと感じたようだ。咳払いとともに、居心地悪そうに身じろぎした。

「あー、その、恋愛するなと言っているわけじゃない。あらゆる経験が芸の肥やしになる」

「はい」

「どんな女性なんだ」

「はい？」

「だから、オカダマチというのはどんな女性なんだ」

ふだんは健の私生活になど、さして関心もないようなのに。慣れないことをするものだから、兎一郎は健の兄貴分を通り越して、なんだか娘に対する父親みたいになってしまっている。健は笑いを嚙み殺した。

「どんなって、わかりません」

「わからない？　それなりのつきあいをしているのに、わからないということがあるか」

「気がついたら、もう好きになってたんです」

健は頭を搔いた。「一目惚れってやつで」

「あきれた」

兎一郎はがっくりと肩を落としたが、すぐに思い直したらしい。「いや、そうでもないか。義太夫で描かれる恋のはじまりも、ほとんどが一目惚れだからな」


その晩、赤坂に繰りだす銀大夫から、健は同行するよう言いつけられた。

「幸兄さんじゃなく、俺ですか？」

「幸大夫には断られたわ。野助《のすけ》と稽古で、暇がないんやて」

ひさしぶりの舞台だから、幸大夫と野助は張り切って、公演中も毎晩稽古に励んでいた。そうなると、健が銀大夫のお供をするしかない。

「兎一も来いや」

という銀大夫の鶴の一声で、迷惑顔の兎一郎も無理やり駆りだされた。健は、ミラちゃんのメールにまだ返信できていないことが気になったが、銀大夫のあとに従って地下鉄に乗った。

料亭「志乃菊《しのぎく》」は、車一台がようよう通れる小路に面して、築地塀《ついじべい》をめぐらせていた。健はアケミのことを、クラブで働いているのだろうと思っていたから、純和風の料亭を目にして驚いた。玄関までの石畳には打ち水がされ、夜に黒々と輝いている。明らかに格式の高そうな店のなかに、銀大夫は臆せずに入っていく。

玄関では、「志乃菊」の女将とアケミが出迎えた。アケミは縮緬《ちりめん》の単衣《ひとえ》を粋に着こなし、髪も和装に合うように結っている。単衣は表と裏とでわざわざ染め分けられていて、表は薄水色の地に細い縞《しま》、さばいた裾から覗く裏は江戸小紋の極鮫《ごくざめ》だ。

「銀大夫師匠、京都ではこの子が大変にお世話になったそうで、ありがとうございます」

女将が丁寧に挨拶し、アケミとともにさきに立って、一行を座敷へ案内した。事態がよく飲みこめずにいる健を、アケミが肘で軽く突く。

「なあに？　まだ色ボケしてんの？」

「いえ、あの……。どうしてアケミさんが料亭に？」

「だって私んちだもん」

どおりで、いい着物を着ている。跡取り娘のようなのに、下着みたいな恰好で師匠を追いかけていいのかなあ。健は女将の内心を思って気を揉んだ。

通されたのは、政治家が密談していそうな十畳の部屋だった。ドラマみたいだ、と健は感心したが、先客に気づき、またも驚くことになった。

三味線の人間国宝・鷺澤蝶二と、人形の人間国宝・竹田弥五郎《たけだやごろう》が、床の間の掛け軸を背に座っていた。

健は思わず、銀大夫と兎一郎の表情をうかがった。銀大夫は上機嫌で、

「待たせてすまんな」

と弥五郎の隣に腰を下ろした。これで、文楽の長老三人がそろったことになる。兎一郎はちょっと肩をすくめ、警戒心もあらわに下座についた。

兎一郎にとっても、この状況は予想外だったのだ。健は少し安心し、心強くも思って、兎一郎と並んで座った。

つまみの小皿が載った膳が運ばれ、アケミが酌をしてまわる。健は、「どうして三業《さんぎょう》の長老がそろってるんだろう」と考えていたため、酒の味などわかったものではなかった。

銀大夫は猪口《ちょこ》の酒をすぐに呷《あお》り、

「座興が必要やな」

と言った。弥五郎が、「もうかいな。気ぜわしいことや」と笑う。「あいかわらず、落ち着きに欠けるおひとですなあ」と蝶二は顔をしかめた。

「ちゅうわけで健、兎一。なんかやってみい」

「えー！」

健は猪口を取り落としそうになった。「なんかって、なんですか」

弥五郎と蝶二がひそひそ話をはじめた。

「銀さんはなんも説明せんと、二人をつれてきよったようやで」

「無茶は銀師匠の十八番《おはこ》ですさかい」

アケミに酒をついでもらいながら、銀大夫は健と兎一郎を急かした。

「なんでもええから、ちょいと語れ」

老人たちに無理難題をふっかけられることには、健よりも兎一郎のほうが慣れている。さっさと諦めたのか、体の脇に置いていた稽古用の三味線を手に取った。

「やらないことには、帰してもらえそうにない。奥庭狐火《おくにわきつねび》の段にしよう。できるか」

「はい」

わけがわからなかったが、健も腹を決め、景気づけに猪口の酒を飲み干した。

「お、ええな」

銀大夫が身を乗りだす。「いまの健にぴったりやないか」

「なんでや」

と弥五郎が尋ねた。人形の弥五郎のもとには、健の噂がまだ到達していなかったらしい。

「こいつ、大阪に女がおってな。『会いたい、会いたい』って楽屋でも泣いてばっかりで、うるそうてかなわんのや」

得々と説明する銀大夫の声にかぶさるように、兎一郎が三味線を奏ではじめた。

『本朝廿四孝』の「奥庭狐火の段」。恋人の勝頼《かつより》に会いたい一心で、八重垣《やえがき》姫が諏訪法性《すわほっしょう》の兜《かぶと》を手にするシーンだ。

健は、「いつ俺が泣いたんだよ」と思いつつも、八重垣姫になりきって語りだす。

「今湖《みずうみ》に氷張りつめ、船の往来も叶はぬ由《よし》、歩路《かちじ》を往《ゆき》ては女の足、なんと追手《おつて》に追ひつかれう」

勝頼に迫る危機を知らせたくても、その手段がない。どうしたらいいかと、八重垣姫は身もだえせんばかりに思い悩む。

俺は八重垣姫とちがって、郵便制度も携帯電話もある時代に生きているのに、真智さんと連絡を取れない。意気地がないからだ。あんたのことなんて本当はなんとも思ってない、と拒まれるのが、怖くてたまらないからだ。

八重垣姫は、勝頼を描いた絵を見ただけで恋に落ち、積極的に言い寄って思いを成就させたのに。健は、八重垣姫の一途さと行動力がうらやましかった。

恋のはじまりは、いつだって一目惚れだ。健はありありと思い出すことができる。はじめて見たときの、真智の姿を。帰りが遅くなったミラちゃんを、真智は怒りながらひしと抱きしめた。なめらかな頬。長いまつげ。不審を隠そうともせず、健を見据えた真っ黒な目。

言葉を交わしもしないうちから、俺は唐突に恋に落ちた。文楽で描かれる恋は、本当にあり得る。八重垣姫と同じように、絵姿のみから一生の恋がはじまることもあるんだ。

「ア、翅《つばさ》が欲しい、羽が欲しい、飛んで往きたい、知らせたい、逢ひたい見たい」

絶叫に近い八重垣姫の心情の吐露は、そのまま健の思いとなった。

兎一郎が激しくかき鳴らす三味線に後押しされ、八重垣姫は、いや、健は、諏訪神社のご神体に等しい兜を、ついに手に取った。なんとしても凍った湖を渡り、恋人に会いにいく。人外のものに成り果ててでも、二人を隔てる距離と時間を超えてみせる。

思いに応えるかのように、諏訪明神の使いの白狐が現れた。守るごとくけしかけるごとく、健のまわりを飛び跳ねる。

健の執念は青白い狐火となり、座敷の空気は冷たく燃えあがる。

弥五郎が持っていた猪口を静かに膳に下ろし、蝶二が背筋をのばし、銀大夫が身を乗りだしたまま満足げに笑った。いまや狂乱と言っていいほどに高まった三味線の音《ね》に乗り、健は語りきった。

「たちまち姿狐火のこゝに燃え立ちかしこにも、乱るる姿は法性の、兜を守護する不思議の有様《ありさま》。諏訪の湖歩《かち》渡り、夜も東雲《しののめ》に明け渡る」

一瞬の間を置き、アケミが拍手した。

「すごいわ、あんた！　見直した！」

ちょうど座敷に顔を出した女将が、

「これ、お客さまに向かって『あんた』とはなんです！」

と、アケミの膝を叩いた。

健は肩で息をし、顎にまで伝った汗をぬぐう。兎一郎は平然とした態度で、三味線をもとどおりに布でくるんだ。

上座では長老たち三人が、顔を寄せて話しあっている。

「お姫さまちゅうよりは、八百屋お七みたいな惑乱ぶりやったな」と弥五郎。

「今回の公演で奥庭狐火を語っとるのは、草大夫《くさたゆう》や。健大夫《たけるだゆう》とは年季もちがうから、さすがに草大夫のほうが八重垣姫の品格が出とるように思いますわ」と蝶二。

「まだ若いんや。そのへんは大目に見たれ」と銀大夫。

「そやな」

弥五郎がうなずいた。「俺はまあ、異存はあらへん。健なら語れると思う」

「しかしそうなると、砂大夫さんが黙っとりまへんで。どないするつもりです」

いまから気が重いとばかりに、蝶二は胃のあたりを手でさすった。

「砂の字には、俺から言うておく」

銀大夫が請けあう。「それでも文句垂れよったら、こう、キュッと首を絞めあげてやってやな……」

「そりゃええ」

と弥五郎は豪快に笑い、

「穏便にやってもらわんと、困りますがな」

と蝶二は力なくたしなめた。

話が見えてこない。健はきょとんとしたが、もう「語れ」とも要求されないようなので、緊張を解いた。悪事の相談じみた三人の会話が終わるのを、酒を飲みながら待つ。手酌でもよかったのだが、それはアケミが許さなかった。

健と兎一郎が銚子を一本ずつ空けたところで、長老たちの密談は終わった。

「よっしゃ。ほな、決まりや。お疲れさん」

銀大夫が立ちあがる。「アケミちゃん、次はもっとゆっくり来るわ」

「はい。京都のお礼に、地唄などいかがですか」

座敷に出ているためか、アケミはふだんよりずっとかしこまった言葉づかいで、銀大夫に提案した。

「ええなあ。アケミちゃんの地唄はひさしぶりや。楽しみにしとるで」

銀大夫はアケミと手をつなぎ、さっさと玄関へ向かう。弥五郎と蝶二もあとにつづいた。

「つまみだけで、料亭の飯を食べられなかったですね」

健は残念に思い、兎一郎に言った。

「料亭といっても、ここで料理を作ってるわけじゃない。仕出し屋から運んでくるんだ。幕の内弁当と内容はそう変わらない」

兎一郎は未練もないようで、三味線をつかんで座布団から立った。さすが、と健は感心した。

「兎一兄さん、料亭で接待されたことがあるんですね」

「ない。話に聞いただけだ」

「なんだ。あー、腹減ったな」

「帰りに駅で蕎麦でもたぐれ」

「料亭で食う、ってのが肝心なんです。芸の肥やしになるかもしれないじゃないですか」

二人はそんなことを小声で言いあい、女将とアケミに見送られて表へ出る。

大通りで拾ったタクシーに人間国宝たちを乗せ、健はやっと自由の身になった。赤坂から千代田線で表参道に出て、半蔵門線に乗り換え、健は渋谷、兎一郎は九段下のホテルに帰ることにする。

表参道の駅構内を歩きながら、健は兎一郎に尋ねた。

「結局、なんで俺たちは料亭につれていかれたんでしょう」

「さあ」

兎一郎は素っ気ない。「だが、覚悟しておいたほうがよさそうだな」

「なにをですか?」

と、健はなおも食い下がったのだが、兎一郎は答えずに半蔵門線のホームへ上がっていく。反対方面の健は取り残された。兎一郎が挨拶もせずに姿を消すのは、いつものことだ。健は隣の階段を上って、ホームに立つ。摩擦された鉄のにおいとともに、電車がやってきた。

渋谷駅に着いたころには、一日の疲れがどっと出て、食欲はすでに失せていた。駅前の雑踏から足早に遠ざかり、定宿にしているビジネスホテルに帰り着く。

顔見知りになったホテルマンが、

「おかえりなさい」

と笑顔でルームキーを差しだした。連泊サービスの夕刊も一緒だ。

エレベーターのなかで、夕刊を振ってみた。真智には東京での宿泊先を教えておいたので、手紙が届いているのではないかと思った。夕刊からは、広告一枚すらも落ちてこなかった。

部屋に入り、シーツに皺ひとつないベッドに横たわる。ミラちゃんのメールのことを思い出し、憂鬱になった。八重垣姫が憑依《ひょうい》しているあいだは、恋の翼に乗ってどこまでも飛んでいけそうだったのに、いまはまた、迷いの淵に沈んでいく。

俺も諏訪法性の兜が欲しいよ、と健はひそかに嘆息した。


翌日、国立劇場の楽屋通路に、十二月の東京公演の演目と配役が貼りだされた。大夫、三味線、人形の長老三人の連名で発表された配役を見て、健は呆然とつぶやいた。

「うそだろ……」

演目『通し狂言　仮名手本忠臣蔵』
……
早野勘平《はやのかんぺい》腹切《はらきり》の段　大夫　笹本健大夫
三味線　鷺澤兎一郎

俺に『忠臣蔵』の六段目を語る力量があるかどうかを見きわめるために、料亭に長老たちが勢揃いしていたのか。こうなることをうすうす察知して、兎一兄さんは「覚悟しておいたほうがいい」と言ったのか。

ずっと語ってみたいと願ってきた『仮名手本忠臣蔵』の、しかも重要なシーンを任されたというのに、健の心には困惑と混乱だけが渦巻いた。

並み居る先輩格の大夫を飛び越え、どうして俺が「勘平腹切」なんだ。銀大夫師匠がごり押ししたにちがいない。語れるか？　俺に早野勘平が語れるのか？

大抜擢に、楽屋内は騒然としていた。「なんであいつが」と、悪意に満ちた囁きが聞こえてくるような気がする。被害妄想だとわかっていても、いたたまれない。健は楽屋口から劇場の裏手に出た。

ポケットに入れた携帯電話が震える。またミラちゃんからのメールだった。

「健せんせ、いそがしい？　お仕事のじゃましたらあかんて、お母さんは言うんやけど、うち、さんばそうでわからんとこがあるんや。ひまになったら電話ください。ミラ」

ああ。健はうめいた。いかなる神宝の力をもってしても、この淵から逃れでることはかないそうになく思われた。

六、心中天《しんじゅうてん》の網島《あみじま》

ごうんごうん、と回転する大型洗濯機の中身を眺めていたら、コインランドリーに誠二《せいじ》が入ってきた。

「うおっ、なんや健《たける》。ずっとボケーッとしとったんかい」

「ああ、うん……」

健は催眠術が解けた思いで、かたわらに立った誠二を見上げた。置いてある雑誌を読むでもなく、洗濯機のまえでただただパイプ椅子に座っていたようだ。

「やめぇや、もう」

誠二は買ってきた煙草のパッケージを開け、一本くわえた。「連れ合い亡くして、仏壇のまえで惚《ほう》けとるじいさんやあるまいし」

ほらほら、と急き立てられ、健は椅子から立ちあがった。誠二に背中を押されるようにして、コインランドリーを出る。

「どこ行くんや」

「洗濯終わるまで、飯でも食お」

「ホテルのほうはええんか？」

「ええ、ええ。この時間じゃ、たいして客も来《こ》おへん。掃除のおばちゃんに頼んできた。それに、あの大量の洗濯物は手分けせんと運べんやろ」

誠二は風下に立って煙草に火をつけ、朝の裏通りを西に向かって歩きだした。やけに派手な花柄の長袖シャツに、色あせたジーンズを穿いている。十月だというのに、足もとはビーチサンダルだ。かく言う健も、地方公演に飛びまわっているせいで洗濯物を溜めこみ、季節に合った服がない。楽屋用の浴衣に薄手のジャンパーを羽織り、スニーカーを履いた姿だった。

俺たち、まわりからはどんなふうに見えるんだろうな、と健は思う。

出勤の仕度を済ませ、ゴミ袋を片手にマンションから出てきた若い女が、怪訝そうな視線を寄越す。健は目が合わないよう、さりげなく空を眺めるふりをした。カタギに見えないという点では同じだろうが、健と誠二のあいだに、そのほかの共通項を見いだすのは難しそうだ。

薄い青色の空は、今日もいい天気になると告げていた。

誠二は黒門市場にある定食屋「圓明《えんめい》」の暖簾をくぐった。健もあとにつづく。市場は早朝から活気づいていた。セリで仕入れたばかりの鮮魚が、氷とともに店先に並べられる音。惣菜を揚げる油のにおい。

「圓明」は六割方の客の入りだった。カウンター席で、土間のテーブル席で、一仕事終えたひと、これから働きにいこうというひとが、無心に朝食をかきこんでいる。

健は誠二と向かいあわせに、壁際のテーブル席についた。無口な女将が、ステンレスの盆に水の入ったコップを二つ載せてやってきた。誠二が「鯖の味噌煮定食」を、健が「本日の朝食焼き魚セット」を頼むと、無言のままうなずき、カウンターのなかへ戻っていく。

「圓明」は中年夫婦がやっている店だが、そろいもそろって必要最低限の言葉しか発さない。調理を担当する亭主が、店に入ってきた客に「らっしゃい」と言う。接客を担当する女将が、店を出ていく客に「まいど」と言う。それだけだ。いまも、女将がどうやって健たちの注文を伝えたのかわからぬままに、亭主は黙然と料理をはじめた。かといって、夫婦仲がぎくしゃくしていて居心地の悪い店、というわけではない。無言のうちに、さりげなくお互いの作業を手助けしているのが見て取れる。

「働きもんの、ええ夫婦や」

健はつぶやき、ため息をついた。

「なーにを隠居老人じみた感慨漏らしとるんや、おまえは」

誠二はあきれ顔で割り箸を割った。タイミングよく女将が、両手にプレートを持ってやってくる。無言でそれぞれのまえに定食を置き、カウンターのなかに戻っていく。

「朝から鯖の味噌煮て、重くないんか」

「やらんで」

誠二が自分のプレートを腕でガードする。いらないよ、と思いながら、健は鯵のひらきを箸でほぐした。適度な脂と塩気に、胃が思い出したように動きだす。

「健、ちょいと痩せたな」

誠二は豆腐と揚げのみそ汁をすすった。「忙しいんか」

「うん……。稽古が厳しくて、さすがにグロッキー気味や」

十月は地方公演だ。三日間で東北の何県かをまわり、大阪に戻って二日休んだら、今度は中国地方。一日休みがあって、次は近畿各県や中部地方を日帰りで、といったハードな行程がつづく。もちろん合間の休演日も、実質的には休息している暇はない。健はわずかな時間を見つけては、兎一郎《といちろう》とともに十二月の『仮名手本忠臣蔵《かなでほんちゆうしんぐら》』の稽古に勤しんでいた。

銀大夫《ぎんたゆう》をはじめとした長老連も、驚異の体力で地方公演をこなしている。銀大夫などは、蜂蜜入りヨーグルトに加えて最近ではウコンまで飲みだし、ますます肌の張りとツヤを増しているほどだ。若手の健が、さきにへばったり弱音を吐いたりするわけにはいかない。とはいえ、公演をしながら大作の稽古をするのは、健の技量ではなかなかつらいことだった。

もうひとつ健を疲労させるのは、十月の地方公演の演目、『心中天の網島《しんじゆうてんのあみじま》』の内容だ。

妻子のある紙屋治兵衛《かみやじへえ》は、遊女小春《こはる》と相愛の仲になり、仕事もそっちのけで入れあげる。妻のおさんは治兵衛を心配し、「夫と別れてほしい」とひそかに小春に手紙を送る。女同士の義理を感じて身を引いた小春に、治兵衛は「俺を捨てるのか」とわめきたて、おさんのまえでも、「ふられちゃったよ」とめそめそする。優柔不断で生活能力も思いやりもない最低の男だ、と健は思う。結局、治兵衛はおさんと離婚させられ、行き場をなくして小春と心中するのだが、まったく理解に苦しむ。それが健の語りにも表れて、どうも舞台が締まらない。兎一郎はこのごろ、床《ゆか》を下りるときいつもこめかみに青筋を立てている。

兎一兄《にい》さんに蹴られないうちに、なんとかしなくちゃいけないけれど……。健は鯵のひらきを食べ終え、出汁巻き卵をかじる。おさんや小春がどうして治兵衛に尽くすのか、それがわからない。治兵衛のことを考えすぎたせいで、行く先々でいろんな夫婦を観察してしまう始末だ。

「へこんどるなあ」

誠二は健の皿から、出汁巻き卵を勝手にひとつ取った。「おまえ、この一カ月でまるまる一日休みやったこと、ないやんか。義太夫ちゅうのは、そないにせんと身につかんもんなんか」

「そりゃそうや」

「ふうん？」

誠二がにやつきながら健の顔を見る。

「なに」

健はこれ以上取られないように、残った卵焼きをあわてて口に入れた。

「へこんどるんは、ほんまに義太夫のことだけか？」

「なんで」

「そのへこみぶりに覚えがある」

と誠二は断言した。「はじめて会《お》うたときにも、おまえは女にふられて同じようにへこんどった」

誠二の鋭さに、健は虚勢を張ることができなかった。

「そうやったなあ」

と、持っていた茶碗をテーブルに下ろす。

誠二と出会ったのは、健が技芸員に登録されて二年目のときのことだ。

文楽一座は、一年のほぼ半分を旅先で過ごす。健はつきあっていた彼女に、「ちっともうちのそばにいてくれへん」となじられ、ちょうどふられたところだった。半同棲状態だったアパートから彼女が出ていき、しかも部屋の更新時期も迫っていたのに金がなかった。

大阪を空けているあいだは、留守の部屋を彼女が管理してくれていた。部屋を借りられるだけの人材も資金力もなく、これからどうしたらいいんだろう、と健は途方に暮れた。彼女をたしかに好きだったはずなのに、出ていかれてまずそんなことを考える自分がいやだった。

別れて正解かもしれない。どうせ俺は、義太夫をやめられやしないんだし。「そばにいてくれないといやだ」という女とは、このさきどうしたってやっていけない。

健はそう言い聞かせながら、もう少し家賃の安いアパートを探そうと、休演日に不動産屋をまわった。だが、短期間でもともに寝起きしたひとがいなくなった落胆は、健が思うよりも大きかったらしい。不動産屋めぐりの終着点は、いつも安い居酒屋だった。「こんな調子で義太夫ばっかりやってるうちに、一人で年取って野垂れ死にするんだ」などと、悲愴な考えにとらわれながらコップ酒を飲んだ。

ある晩、酔っぱらった健が気づいたときには、誠二はすでにカウンター席の隣にいて、「ふんふん、そりゃ難儀なこっちゃなあ。それで?」と相槌を打っていた。なんだこいつ、と健は思った。同年代らしい誠二は、袈裟を着て頭を丸めた、坊主そのものの恰好だったのだ。

誠二はひとなつこく、健は酔いも手伝って初対面の相手にひとしきり愚痴った。最後に誠二が、

「そんなら、うちに来たらええ。家賃は格安にしとくで」

と言ったのは覚えている。翌朝目覚めると、健はラブリー・パペットの一室にいた。なにごとが起きたのかと動揺したが、廊下をモップで磨いていた誠二は、さわやかに「おはようさん」と言った。Tシャツにジーンズで、土木作業員のように頭にタオルを巻いていた。

誠二はラブリー・パペットの隣にある寺の息子だった。父親が死に、兄が寺を継いだついでに、広すぎる境内の一画を売った。そこにはラブホテルが建てられ、寺に居場所がなくなった誠二が雇われ店長に収まることになったらしい。

「寺がラブホを持っとるっちゅうのは外聞悪いから、名義はほかに貸してるんやけど、実質的にはうちの経営なんや」

と誠二は言った。

開業したばかりのラブホテルは、人手を求めていた。大阪にいるときはタダで掃除を手伝うという条件で、健はラブリー・パペットに安く住まわせてもらうことになった。すぐにアパートを引き払い、ラブリー・パペットにやってきて、もう八年になる。

一度だけ、

「どうして見も知らぬ俺を、居酒屋からつれてきてくれたんや」

と聞いたことがある。誠二は、

「おまえがしきりに、『俺は義太夫を極めたいんや。極めんとあかんのや』って言うから」

と答えた。「そないにええもんなら、協力してやるのも悪ないなと思たんや」

それだけだった。それで充分だった。

誠二は未だに、健の舞台を聞きにきたことがない。誠二のそんなところが、健は好きだった。健の義太夫を聞いて、あれこれ論評されたりしたら、友人であり大家と店子である関係は壊れてしまうだろう。

隣にある実家の寺に、誠二は滅多に足を踏み入れない。健はそれに気づいていたが、特に指摘したこともないし、事情を詮索しようとも思わない。誠二が言いたくなったときに、聞けばいい。

つかず離れずで、二人はうまくやっていた。

「健は案外、女で駄目になるタイプやな」

鯖の味噌煮定食を食べ終え、誠二は楊枝を使いだした。「真智《まち》さんやったっけ。このごろ見んけど、ふられたんか」

「さあ」

健は水を飲む。「会《お》うとらんから、ふられたんかそうでないんか、わからん」

「なんで会わんのや」

「この生活で、どこに会う時間があるんや」

「まあなあ」

と誠二は席を立ち、「お勘定」と言った。「難儀なこっちゃなあ」

健がジャンパーのポケットから財布を出そうとすると、

「ここはおごる」

と誠二は言った。「早いとこ連絡つけて、すっきりせえや」

女将の「まいど」の声に送られ、健と誠二は店を出た。市場を抜け、コインランドリーで紙袋三つぶんになった洗濯物を回収する。

ラブリー・パペットが通りのさきに見えだしたとき、

「なあ、健」

と誠二がつぶやいた。「恋愛で駄目にならん秘訣を知っとるか」

「知っとったら苦労せえへん」

「相手になにかしたろと思わんことや」

誠二の声は静かだった。健は誠二の横顔を見た。誠二は墓地の柵越しに、並ぶ卒塔婆を眺めているようだった。

「幸せにしたろとか、助けてあげんととか、そんなんは傲慢や。結局、お互いにもたれかかってぐずぐずになるで。地球上に存在してくれとったら御の字、ぐらいに思うておくことや」

そうかもしれないが、それも少しさびしいな、と健は感じた。

誠二は、「はー、昼まで寝よ」と事務所に引きあげ、健は自室で洗濯物を畳んだ。午後からは銀大夫の家で、『仮名手本忠臣蔵』の稽古がある。

「あかん。あかんあかんあかん」

銀大夫はパチリと扇子を鳴らした。「どういう腹づもりで勘平を語っとるんや」

兎一郎がバチを止め、健は語りやんだ。

ふだんの銀大夫は、健の頭を射的の的かなにかだと思っているふしがある。だが稽古中は、決して手を上げない。かわりに、「あほんだら、ボケ、カス、やめてまえ」と、けちょんけちょんにけなす。それはまだいいほうで、銀大夫が丁寧だが底冷えのする口調になったら、要注意だ。師匠の苛立ちを感じ取り、健は身を縮める。銀大夫はかたわらの湯飲みを手に取り、一口すった。冷めていたらしく、顔をしかめる。稽古のあいだは銀大夫の血圧が上がるのを知っているから、福子《ふくこ》は座敷に近寄らない。

「勘平はふらふら、おかるはへなへな、おかるのおかんはただのよぼよぼ。おまえの語りには登場人物の性根ちゅうもんがないんじゃボケ」

銀大夫はあくまで静かに悪態をついた。「だいいち、六段目の音遣いになっとらん。節もめたくたや。苦しくなって喉を使うから、余計によれる。それで兎一も間《ま》が持たんと、掬《すく》いにきよるからますます音が詰まる。ちゃうか？」

「はい」

健は返す言葉もなくうつむく。

「そんなことでは、いつまでたっても勘平腹切《かんぺいはらきり》は語られへん」

銀大夫は湯飲みをトンと畳に置いた。「健。砂大夫《すなたゆう》に六段目を教えてもろてき」

「えっ」

健は驚いて顔を上げた。「ちょっと待ってください！　俺の師匠は銀大夫師匠だけです」

「なに子どもみたいなこと言うてるんや」

銀大夫は素っ気ない。「砂大夫の六段目は、『このひとのほかに勘平なし』と謳われた、亡き磯《いそ》大夫《たゆう》師匠の直伝やで。俺から習うよりも効率がええやろ」

なかなか上達しない健に業を煮やし、銀大夫はヘソを曲げてしまったらしい。

「そんな……、無理ですよ」

「なんでや」

「なんで、って」

師匠と砂大夫師匠は仲悪いじゃないですか。健はそう思ったが、口にはしなかった。銀大夫の弟子の健が教えを請いに行ったところで、砂大夫は歓迎してくれないだろう。「深草少将」か「カノッサの屈辱」か、といったことになる確率が高そうだ。

「銀大夫師匠」

それまで黙っていた兎一郎が言葉を挟んだ。「砂大夫さんのところへ行くのは、遠慮させてもらいます」

「なんでや」

と銀大夫はまた言った。「兎一も行かんかったら、稽古にならんやないか」

兎一郎は三味線を膝に載せたまま、頑なに口を閉ざしている。銀大夫は苛立ちが最高潮に達したらしく、扇子を連続して鳴らす。健ははらはらして二人を見比べた。

「まだこだわっとるんか、兎一」

銀大夫は険しい表情だ。「月大夫《つきたゆう》が死んだのは、だれのせいでもあらへんやろ」

兎一郎の肩がわずかに揺れた。月大夫ってだれだろう。健は目まぐるしく考える。少なくとも、健が研修所に入って以降、その名前の大夫が文楽一座にいたことはない。

「わかりませんね」

と、兎一郎は真っ向から銀大夫に異を唱えた。「どうして銀大夫師匠が、あの砂大夫さんに弟子を預けようとなさるのか」

「砂の字は義太夫に熱心なやっちゃ」

「熱心？」

兎一郎の口端に、かすかな笑みが冷たく浮かんだ。「そうですね。有望な若手の芽を摘むのに熱心かもしれません」

もしかして、と健は思った。月大夫っていうのが、兎一兄さんと組んでいたひとなのかもしれない。そのひとが死んだから、兎一兄さんは俺と組まされるまで、相方を持たない三味線だったのかもしれない。

「口を慎め、兎一郎！」

銀大夫が怒鳴った。「そないな考えでは、おまえの三味線の音は縮こまったままやぞ！　これからもずっと、死んだもんにとらわれてバチを凍えさせとくつもりか。大夫あっての三味線、三味線あっての大夫や。だれとも深くつながらんで、芸の真髄に迫れると思うな！」

健はその剣幕にすくみあがったが、兎一郎は微動だにしない。

「俺にはまだ、聞こえるんです」

そう言った兎一郎の声は、幽界から届いたかのように遠くかすれていた。銀大夫は、「なにが」と問いただしはしなかった。ただ、少し目を伏せただけだ。苦そうにも懐かしそうにも見える顔をしていた。

健は、「あ」と思った。内子座で兎一郎が言っていたのは、月大夫のことだったとわかった。やはり兎一郎は、死んだという月大夫と相三味線《あいじゃみせん》だったようだ。

いったいどんな人物だったのか知りたくてたまらなくなり、健は「あの……」と言いかけた。しかし質問を発する暇はなかった。銀大夫が勢いを取り戻し、

「幻聴なんぞ、芸の力でかき消したるわい!」

と吼えたからだ。「そうやろ、健!」

「え、俺ですか」

「おまえ以外にだれがおるんや」

銀大夫は健を扇子で指した。勢いあまって、閉じた扇子のさきが健の顎にめりこんだ。

「兎一の相方はおまえやろが。『ほかの大夫の声など耳に入らんようにしてやる』ぐらい言うたらんかい!」

「いやあ……」

と健は顎をさすりつつ困惑し、

「幻聴ではなく、単に記憶だ」

と兎一郎は健に向かって真面目に説明した。「きみの語りを聞いていると、『月さんは、ここはこう語った』と思い出されてくるだけだ」

そう言われたら、健も黙ってはいられない。プロの大夫としての意地がある。

「それは、俺の語りが不満だってことですか」

「まあ……」

と言いかけて、兎一郎は咳払いした。「不満というわけじゃないが」

「どないするねん、健」

銀大夫がにやにやした。「『あんまりぢゃぞへ治兵衛殿。それほど名残《なごり》が惜しいなら、誓紙《せいし》書かぬがよござんす』。ほれ、言うたれ、言うたれ」

銀大夫が語ったのは、『心中天の網島』の一節だ。紙屋治兵衛は、別れたはずの遊女小春に未練がある。それを知った妻のおさんが、「夫婦仲良くやっていきたいのに」と嘆く場面だった。

俺がおさんの立場なのか、と釈然としない気持ちもあったが、健はきっぱりと言いきった。

「わかりました。砂大夫師匠のところにうかがいます。兎一兄さんを満足させる語りを習得してみせます！」

兎一郎は「おい」ととどめようとしたが、それよりも早く銀大夫が、「よう言うた！」と満面の笑みで扇子を広げた。

「砂大夫にひととおり習うまでは、俺に稽古をつけてもらえると思うなや」

早まったな、と健が思ったのは、砂大夫の家の門前で追い払われたときだ。

銀大夫の家を辞した健は、その足で砂大夫の家に向かった。地獄から這いでてきたばかりのように不機嫌な顔をして、兎一郎もいやいやながらついてきた。

健がインターフォン越しに砂大夫への取り次ぎを願うと、しばらく待たされたあげくに、出てきたのは青大夫《あおたゆう》だった。

「すまんな、健」

こぢんまりとした一戸建てのドアを細く開け、青大夫は小声で言った。「師匠は、『いま忙しいから会えへん』って言わはるんや」

「ちょっとでええ。いきなり今日から教えてもらおとは思っとらん。最初は家の掃除でも、砂大夫師匠の身のまわりの世話でもええから」

健は食い下がったが、

「ほんまに悪い」

と青大夫は気の毒そうに言って、ドアを閉めてしまった。

健は悄然として、駅までの道を歩いた。砂大夫が教えてくれないかぎり、稽古は中断したままになってしまう。

「きみは馬鹿じゃないのか」

兎一郎は怒りのあまりか、地獄から這いでてすぐに子犬を二、三匹蹴り殺した極悪人のような形相になっている。「いったいどうするつもりだ」

「すみません」

健は肩を落とした。「俺、砂大夫師匠の家にできるだけ通って、なんとか稽古してもらえるようにお願いしますから」

「その『砂大夫詣《もう》で』に、俺もつきあうわけか」

「すみません……」

疲労がどっとのしかかり、足が地面に沈みそうな気分になった。「今日は稽古をつけてもらえそうだ、ということになったら、すぐに兎一兄さんの携帯に電話します。それでどうですか?」

「そうだな。そうしてくれ」

兎一郎は冷たく言った。「無駄足を踏んでいる時間があったら、自分で稽古していたほうがましだからな」

兎一郎がこんなに突き放した態度を取るのははじめてだ。健は、コンビを組むと決まってからの兎一郎が、どれだけ親身になってくれていたかに改めて気づいた。

兎一郎を納得させるだけの語りができていないこと。稽古の目処が立たなくなり、兎一郎を怒らせてしまったこと。懸案が次々に脳裏をよぎり、その夜はよく眠れなかった。どうしよう、と考えているうちに、「そういえば俺、真智さんとはどうなってるんだろう」と思い出し、そんな重要なことを思い出す自分にがっかりした。

まえの彼女と別れたときから、ちっとも進歩がない。俺は義太夫のことしか考えられなくて、その義太夫すら下手くそなままだ。

「ああ」「うう」とうめきながらベッドのなかで寝返りを打ち、目が覚めたら朝になっていた。悩んでいるつもりでちゃっかり寝たのかと思うと、また自分がいやになった。

いやになっても、容赦なく幕は開く。健は身仕度を済ませ、新津小学校へ向かった。


ふだんの新津小は灰色の地味な建物だが、この日は校門に、紙の花で縁取られた案内板が立っていた。

新津小学校　課外活動発表会
健が小学生のころは、学校の門はすべて開放されていたが、いまはチェックが厳重だ。保護者のバッヂを持っていないものは、門の脇に立つ係の父兄に来意を告げ、受付表に住所氏名を書く。

やっと敷地内に入ると、狭い校庭には生徒と周辺住民があふれ、手作りの屋台がたくさん建っていた。ジュースや焼きそばを売ったり、バレーボールを使った的当てゲームがあったりする。

校舎のなかでは、習字や工作の展示、合唱会や「しょうぼうしょのしごと」のパネル発表などが行われる。どの教室の窓にも、色紙で作った輪や生徒が描いた絵が飾りつけられていた。

笑い声とざわめきが学校じゅうに満ちている。土曜日ということもあり、予想以上の人出だった。ミラちゃんたちも準備をはじめているはずだ。

健が昇降口付近できょろきょろしていると、藤根先生がやってきた。

「健先生、こっちです」

「こんにちは。みんなの調子はどないですか」

「張り切りすぎて緊張気味やわ」

と藤根先生は笑い、体育館へと廊下を歩きだした。「今日はうちのひとも来とるんですよ」

「兎一兄さんが？」

意外だった。小学生の義太夫は、はっきり言って下手だ。そして兎一郎は、下手な音曲の類を毛嫌いしている。劇場の食堂のテレビで、のど自慢に出演した素人の音程がはずれていようものなら、即座に立って大人げなくチャンネルを変えるほどだ。

「あのひと、私に聞くんよ。『オカダミラって子の母親は、どんなひとだ』って」

今日は束ねずにいる藤根先生の長い黒髪が、一瞬逆立ったような気がした。健は唾を呑みこみ、おそるおそる尋ねる。

「なんて答えたんですか？」

「『美人やし子ども思いやし、言うことなしのひとや』」

藤根先生はにっこりと笑う。「『あんた、再婚するならあんなひとがええやろなあ』て言うたったわ」

兎一兄さんって迂闊なところがあるよな、と健は内心でつぶやいた。兎一兄さんはミラちゃんの母親に気があるわけじゃないんです。俺のために聞いてくれただけで、と藤根先生に弁解するべきかとも思ったが、やめた。この夫婦は、お互いのあいだに波風が立っているぐらいがちょうどいいのだろう。『心中天の網島』のために観察を怠らなかったおかげで、実際の夫婦の機微は少しわかるようになってきた。

それよりも、気になることがある。健はさりげなさを装って切りだした。

「再婚って、ミラちゃんにお父さんはおらへんのですか」

「おるに決まっとるやないの」

後頭部を殴られたような衝撃を覚えた。視界がぶれる。やっぱりいるのか。じゃあ真智さんは、俺のことをなんだと思ってるんだろう。都合のいい相手か。俺が真智さんを好きなのはわかってるはずなのに、がっついたり遠慮したりする俺を見て、真智さんはこっそり笑ってたのか。

悲しみよりも、まずは「遊ばれた」という屈辱が胸にきざし、それはすぐに憤りに変わった。ふざけるな。なんで俺の気持ちをいいようにあしらい、踏みにじる。

健はいますぐ駆けだして、娘の義太夫を聞きにくるはずの真智をとっつかまえ、「よくも、よくも」と問いただしてやりたかった。情けないけど、問いただしながらちょっと泣くかもしれない、とさえ思った。

藤根先生は、怒りで呼吸を荒くした健には気づかなかったらしい。

「父親がおらんで生まれるわけないやんか」

と言った。

「はい」

と健は上の空で相槌を打ち、一拍置いて言葉の意味が脳に浸透した。「え？　いえ、そういうことではなく」

「ああ」

藤根先生はやっと、健の質問の意図がわかったらしい。「岡田さんのお父さんは、岡田さんが小さいころに事故で死にはったんやって。だから、岡田さんのお母さんは独身です」

嫉妬していたことを思い出したのか、藤根先生の髪がまた少し逆立った。

突き落とされた崖下に、思いがけずうつくしい花畑が広がっている。健はそんな気持ちになり、最前までの憤りを忘れた。スキップをしながら、鼻歌でも歌いたい。

体育館に入ると、舞台にはすでに出演者のための座布団が並べられていた。子どもたちは腰から下に長く黒い布を巻き、上半身には紙で作った肩衣《かたぎぬ》らしきものをつけていた。裃《かみしも》のつもりなのだろう。

ミラちゃんはすぐに健に気づき、腰に巻いた布をつまんで走り寄ってきた。動くたびに、紙製の肩衣がガサガサと音を立てる。滑稽な恰好だったが、本人は誇らしげな顔をしている。かわいいな、と健は思った。

「健せんせ！」

「ミラちゃん、よう似合うとるな」

「お母さんが作るの手伝ってくれたんや」

ミラちゃんはうれしそうに笑う。「本番にまにあうように来るって言うとった。うち、なんや緊張してきたわ」

「稽古したから大丈夫や。ほな、リハーサルしよか」

「うん！」

健は大夫役の子どもたちを呼び集め、舞台の座布団に座らせた。見台《けんだい》は校務員さんが、廃材を利用して見よう見まねで作ったものだ。ちょっとがたつき、ペンキが剥げかけていたり白木だったりと色もまちまちだったが、子どもたちは勇んで床本《ゆかほん》を置いた。

体育館の片隅では、指導にあたっていた若手の三味線とともに、兎一郎までもが三味線役の子どもたちの調弦を手伝っていた。仏頂面で目を閉じ、「ちがう」「もうちょっと緩めて」などと、音を聞き分けて指示を出している。子どもたちは愛想のない兎一郎を怖がるのではないかと思ったが、そんなこともないようだ。三味線を手に、「なあなあ。うちの音、合うとる？」「三の糸が切れよった。どないしよう」と、ひるむことなく話しかけている。

ようやく準備が整い、リハーサルがはじまった。全員で声を合わせ、口上を述べる。藤根先生が、「もっと大きな声で言わんと、うしろまで聞こえんよ」と注意する。健と兎一郎は体育館の後方に陣取り、音と舞台全体の見栄えを確認した。

昨日の今日で気まずかったが、健は子どもたちを見習い、思いきって兎一郎に言った。

「どうです、みんな頑張ってるでしょう」

「悪くない」

答えは素っ気なかったが、兎一郎の「悪くない」は「なかなかいい」ということだ。健に対してはまだ怒っているようだったが、子どもたちの義太夫については予想以上だったらしい。

「今日はオカダマチも来るそうだな。きみはどうするつもりだ」

「どうするって、なんですか？」

兎一郎は健の顔をまじまじと眺め、また舞台に視線を戻した。

「紙治様《かみじさま》なみに鈍くてふらついたやつだな」

紙治様とは、紙屋治兵衛のあだ名だ。なんで俺が治兵衛なんだ？　と健は怪訝に思った。おさんじゃなかったのか。

そのとき、リハーサルを終えたミラちゃんがやってきた。

「せんせ、どうやった？」

兎一郎がすっとその場を離れる。

「よかったで。最後に、細かいところを二、三、さらおうか」

健はミラちゃんと舞台に向かいながら、兎一郎の言ったことを考えていた。

本番では、児童と父兄で体育館は満員になった。ふだんとはちがう友だちの姿に、観客席の子どもたちは笑ったり拍手したりと忙しい。三味線の音はふぞろいで、大夫の語りも力んで割れがちだったが、詰めかけた親や近所の商店主も楽しんでいるようだった。

「喜びありや喜びありや。我が此《こ》の処《ところ》よりもほかへはやらじとぞ思ふ」

ひときわのびやかなミラちゃんの声が、空気を澄みわたらせていくようだ。そうだ、『寿式《ことぶきしき》三番叟《さんばそう》』とは、こういうものだった。迷いや悩みをひととき忘れ、幸せを願う気持ち。みんなで元気に楽しく暮らしていきたいと、馬鹿みたいに単純な望みを、衒《てら》いなく表明してみせる勇気。

真智は客席の前方で、舞台を一心に見つめていた。体育館の床にじかに座り、靴を入れたレジ袋をかたわらに置いている。口もとにほのかな笑みを浮かべたその横顔は、とてもきれいだ。

ミラちゃんたちは堂々と語り終えると、作法どおりに床本を顔のまえにかざした。ついで深々と頭を下げる。大きな拍手と歓声が湧き起こる。客席では、興奮して跳ねまわっている子もいた。舞台を下りたミラちゃんが頰を紅潮させて、真智となにか話している。真智は笑って、ミラちゃんの頭をなでたり、床本を覗きこんだりしている。

健は体育館を出た。校庭の屋台でジュースを買う。子どもたちにとっての、はじめての出演料だ。二十本もあればたりるか。いろいろな種類を選び、レジ袋に入れてもらった。

袋を提げてにぎわう校庭を横切り、校舎の裏手にまわった。体育館との渡り廊下に近い、焼却炉のある一角だ。

そこに真智がいた。だれかを探すふうに、一人であたりを見まわしていた真智は、健に気づいて笑顔になった。

「なんか、ひさしぶりやね」

健はふいに苦しいほど思いがあふれ、足早に真智のまえに立った。

「真智さん、俺のこと好きですか」

真智の表情が強張った。ひどく傷つけたことを健は察した。真智に夫がいないと知ったとたんに、急に気が大きくなってこんな質問を発した卑怯を恥じた。

「あんたは好きやない相手と、あんなことするんか」

真智は怒りに震える声で言い捨て、健に背を向け歩いていこうとする。健はあわてて、空いた手で真智の手をつかみとめた。

「すみません」

顔をそむけたままの真智に、健は必死に言い募った。関西なまりでしゃべっている余裕がない。

「すみません、まちがえました。そうじゃなく、言いたかったのは……。俺は真智さんが好きです」

「あほ」

と真智は言った。真智はもう、健のまえから去ろうとはしていなかった。つかんだ手のなかで、真智の肌がやわらかくほどけたのを感じた。

「はい」

健はホッとして、手をつないだまま真智の顔がちゃんと見える位置に体をずらした。「俺、不安だったんです。真智さんがどうして、俺とつきあってくれるのか」

「どうしてもなにも」

と、真智は視線を合わせないままぶっきらぼうに言った。「不安になるほど、あんたにチャームポイントがあるんか」

「はい？」

「『この女、俺の外見に引き寄せられよったな』って思うほど、あんたはかっこええんか。『さては金目当てだな』って勘ぐるほど、あんたは稼いでるんか」

「いえ、全然」

「そやろ?」

真智が勢いよく顔を上げたので、健はもう少しで真智の頭に顎を直撃されるところだった。身をのけぞらせた健にはかまわず、真智はまくしたてた。

「はっきり言うて、あんたよりうちのほうがモテるし、稼ぎもあると思う。あんた、うるさいほど女に言い寄られた経験あるか? うちはしょっちゅう、勘違いした男に誘われて迷惑しとる。あんた、外車を買えるか? うちはこの不景気なご時世に、店で売り上げ一番のディーラーやで。外車買《こ》うて、うちの営業成績に貢献できるんか?」

「えっ」

「なんやねん、『えっ』て」

健は口ごもった。古いアパートに娘と住み、いつもきっちり化粧し、華やかな服を着て夜遅くまで働いている真智を、健はてっきり水商売なのだろうと思っていた。べつにそんなことはかまわないと思いつつ、心のどこかで気にしていた。

真智に遊ばれているのだと誤解したとき、どうして憤ったのか。偏見と狭量が理由だ。やっぱり水商売の女だ。適当に男を食い散らかしやがって、と感じたからだ。

誠二は言った。「相手になにかしたろと思わんことや。そんなんは傲慢や」。まったくそのとおりだった。

うわあ、最低だ。健は自己嫌悪のあまり、真智の手を握ったままよろめいた。同時に、『心中天の網島』で描かれた紙屋治兵衛のひととなりが天啓のように降ってきて、健の脳内で像を結んだ。

「そうか……！」

遊女の小春に入れあげ、ふられると屈辱で狂ったように激怒する男。小春にふられた恨み言を、妻に対して涙ながらに語る男。小春が自分のために身を引いてくれたのだと知ったとたんに、妻子を捨てて来世を誓い、いきなり心中に及ぶ男。

紙屋治兵衛は、大坂の商家のぼんぼんだ。治兵衛は最初、小春のことなど本当に好きではなかった。ただ、茶屋での流儀に則《のっと》って恋愛ごっこに興じ、恋をしている気分になっていただけだ。所詮は遊女、所帯を持った商人の自分とは生きる世界がちがう、と思っていた。

「エ、さすが売物、安物め」

などと治兵衛が雑言を吐き、小春の額を蹴り飛ばすのも、恋を失った悲しみからではなく、たかが遊女と侮っていた小春にプライドを傷つけられたからだ。そうとでも考えなければ、説明がつかない。ふられたからといって、愛していた相手をふつうは売女《ばいた》呼ばわりしたり蹴ったりしないだろう。

治兵衛がおさんのまえで平然と愚痴を言うのも、おさんが苦しみながらもそれを受け止めるのも、かれらのなかで、「どうせ相手は遊女。遊びなのはお互いに納得ずくなのだから」という感覚があったからだ。

小春の本気が明らかになってはじめて、治兵衛は小春に真実恋をする。「ものの数にも入らない」と思っていた女が、自分と同じように、自分以上に、感情と思考のある「人間」だったと知る。知ったときにはもう遅く、心中するほかに道は残されていなかった。

「そうか、そうか……」

健は一人うなずく。自分と他人を線引きし、勝手に序列をつけ、自尊心に振りまわされ、最後の最後まで大切なことに気づけない。美しく貴いものを全部渡してくれようとしている相手を、愚かにも信じきることができない。不甲斐ないぼんぼんの治兵衛は、それを語る俺の姿だ。『心中天の網島』を見るすべてのひとの姿だ。

「また、仕事のことを考えてるやろ」

あきれたように真智に言われ、健は飛ばしていた意識を現実に引き戻した。

「すみません。あの、俺……」

「あんたといい、ミラといい」

真智はやれやれと首を振る。「ええわ、好きなだけ義太夫のことを考えとりぃや」

体育館のほうに戻ろうとする真智を、握った手にわずかに力を入れて健はとどめた。

「真智さん、ひとつだけ。勘違いした男に誘われても、ついていかないでほしいんです」

「あほ」

と真智は笑った。

健は真智の背中を見送り、焼却炉のまわりをぶらぶらとめぐった。もういいかなと体育館に戻り、子どもたちにジュースを配った。ミラちゃんはなぜか体育館の隅っこにいて、健が呼ぶと、うつむきかげんにやってきた。

「どれがいい?」

レジ袋の口を開けて差しだしてみせても、ためらうばかりで手を出さない。健は変だなと感じつつ、

「好きなの選んでや」

と、ミラちゃんに袋ごと預けた。

すぐに『心中天の網島』の稽古をしたかったが、兎一郎の姿はなかった。さっさと帰ってしまったらしい。

「あのひと、なにしに来たんやろ」

と、藤根先生が座布団を片づけながらぼやいた。


名古屋市芸術創造センターの、六百席ほどあるホールには満員御礼の札が立った。

文楽の定期公演は大阪と東京でしか行われない。それ以外の地域へ行くと、地方公演を待ちわびていたひと、はじめて見る文楽とはどんなものかと楽しみにしていたひとの、熱気を感じることができる。その熱気にあてられ、技芸員たちも一様に気合いを入れて舞台に臨んだ。

健が楽屋を訪ねて話しかけても、兎一郎はむっつりとプリンを食べるばかりだった。これはもう、一刻も早く砂大夫と稽古の約束を取りつけるしかない。しかし砂大夫はそれを見越したのか、健が楽屋に顔を出すたび、ろくに話も聞かずに席を立つ。「いま着替え中や」とか「そや、便所行ってこ」などと、理由をつけては追い払われる。露骨に避けられ、さすがに健も腹が立ってき

た。

銀大夫から砂大夫に話を通してくれれば、一番早い。だが銀大夫は、ライバルの砂大夫に頭を下げたくないようだ。二人が子どもみたいな意地を張るせいで、健が割を食う。

ため息をつき、あてがわれた楽屋に戻った。銀大夫はまたふらふら出歩いているようで、部屋にいたのは幸大夫《こうたゆう》だけだった。

「どうやった、砂大夫師匠は」

床本を読んでいた幸大夫が、めずらしくさきに声をかけてきた。健がよっぽど憔悴して見えたのだろう。

「あきまへん。こりゃ持久戦になりますわ」

「持久戦しとる暇ないやろ。じきに十二月やで」

「問題はそこですがな」

健は暗澹たる思いで腰を下ろした。「ねえ、幸兄さん。月大夫さんて知ってはりますか」

「……知っとる」

「どんなおひとだったんですやろ」

幸大夫は床本を閉じ、健に向かいあって座り直した。

「兎一郎と組んでいた、俺の兄弟子や」

「えー！」

予想外のことだった。「じゃ、俺にとっても兄弟子やないですか。なのにいままで、月大夫さんの話を全然聞いたことなかったですけど」

おかげで、兎一郎のかつての相三味線である「月大夫」と、亀治《かめじ》の言っていた「銀大夫の第三の弟子」とが同一人物だと、ちっとも結びつけられずにいた。

「病気やてわかったときには遅かってん……」

幸大夫はしんみりと言った。「亡《の》うなったとき、まだ四十の半ばやったなあ。もう十年ちょっとまえのことやから、おまえが知らんのも無理ない」

「そうやったんですか」

「それだけやない」

幸大夫は声を低くした。「実力があって、かわいがってた弟子に先立たれて、銀師匠がえらくがっくりしはってなあ。『大夫は六十の声聞いてからが本番や。こないに早く死んでは、なんにもおもろいことあらへん』と、見てられんほどの嘆きぶりやった。それでなんとなく、月兄さんの話題は避けるようになったんや」

銀大夫は健にも、我が子に対する以上に厳しく接し、ときには愉快な気づかいを見せる。はじめて取った弟子、しかも見込みのある若い大夫を亡くして、銀大夫がどんなに哀しんだかと想像するだけでもつらかった。

うつむいた健の膝に、幸大夫が「ほら」と読みこまれた床本を置いた。表紙には「仮名手本忠臣蔵　六段目　月大夫」と墨書きされている。

「これ……」

ハッとして、健は床本を手に取った。なかを見ると、詞章《ししょう》の脇に朱《しゅ》が丁寧に引き写されている。どこをどう心がけて月大夫が「勘平腹切」を語ろうとしたかが、事細かにわかる床本だった。

「形見分けで、俺がもらったもんや」

と幸大夫は言った。「月兄さんと兎一郎は、勘平腹切を務めるはずやった。結局、月兄さんはその舞台に立つことなく、公演の初日に息を引き取りはった……。健、おまえに貸してやるで、よう研究せえ」

「はい」

健は思わず、床本を押し戴いた。舞台でそうするように、心をこめて。この世にいるもの、すでにいないもの。文楽に携わるすべてのものの思いが詰まった大切な床本は、健の手のなかで柔らかく、いきいきとした墨の香りを放っていた。

名古屋での『心中天の網島』の公演は大成功だった。健は床の裏で、自分以外の大夫の語りもずっと聞いていた。

「北新地河庄《きたしんちかわしょう》の段」の中《なか》は幸大夫、切《きり》は銀大夫。幸大夫は覚悟を秘めた小春の憂いを、地味だが香りのいい花のように語りきった。

銀大夫の語りは「さすが」の一言だ。武士のふりをして、小春がどんな女なのかを見きわめにくる治兵衛の兄の孫右衛門《まごえもん》。孫右衛門が身につかぬ侍言葉をなんとかそれらしく話そうとしていることが、さりげなく表現されていた。間《ま》が緊密で、亀治の三味線は一音で登場人物の心底を明らかにする。

銀大夫の語りは、舞台と客席を掌握する輝く糸のようだった。人々の思惑と感情がすれちがい、爆発していくさまが、自在に紡ぎだされて観客の眼前に立ち現れる。

健は床の裏で、出番に備えて口をすすいだ。兎一郎も三味線を手にやってきた。一瞬、目が合う。銀大夫の次に語るのは、いつだって健には荷が重い。だが健は兎一郎の目に、自分と同じ意気込みを見た。今日こそは、ひとつ高い次元に自身の芸を押しあげてやる、という意気込みを。

「天満紙屋内《てんまかみやうち》の段」の口《くち》は健が、切は砂大夫が語る。稽古をつけてもらうためにも、砂大夫をうならせるような語りをしなければならない。

床に出て、客席からの拍手を浴びる。紙屋の炬燵《こたつ》にもぐりこみ、鬱々としている治兵衛が見える。そんな治兵衛に愛想をつかすでもなく、店を切り盛りしているおさんが見える。うまくいかない夫婦を心配して、あれこれ口出しをする治兵衛の兄と叔母が見える。

そうだ、このひとたちは生きている。ずるさと、それでもとどめようのない情愛を胸に、俺と同じく生きている。文字で書かれ音で表し人形が演じる芸能のなかに、まちがいなく人間の真実が光っている。この不思議。この深み。

「熊野の牛王《ごおう》の群烏《むらがらす》、比翼の誓紙引きかへ今は天罰起請文《きしょうもん》。小春に縁切る、思ひ切る」

紙屋のなかに、悪人はだれもいなかったにもかかわらず、物語は悲劇へ転がっていく。畳みかけるような健の語りは、日常にひそむ運命の瞬間を冷え冷えと観客に知らしめた。

健が語り終えると、床の裏には砂大夫に付き添ってきた草大夫《くさたゆう》がいた。草大夫は、十二月の公

演で健が抜擢されたことに思うところもあるだろうに、

「ええ語りやったな」

と声をかけてきた。「うちの師匠は頑固やけど、諦めんと根気よく頼むとええ」

「はい」

希望が見えてきた気がして、健は声を弾ませる。兎一郎は草大夫を一瞥もせず、楽屋に引きあげていった。

「兎一さんはあいかわらずやな」

そう苦笑した草大夫は「大和屋《やまとや》の段」で、いよいよ死ににいく治兵衛と小春を情感たっぷりに語った。客席は、『心中天の網島』の結びの詞章そのままの様相を呈した。

「直《すぐ》に成仏得脱《とくだつ》の、誓ひのあみ島心中と、目ごとに涙をかけにける」

草大夫さんのほうが、当然だけど俺よりうまい。健は床の裏で目を閉じ、語られる世界にたゆたう。だからといって、小春のように身を引くわけにはいかない。俺は、俺に与えられた「勘平腹切の段」を精一杯、務めてみせる。

決意と高揚とともに大阪に帰った健は、ミラちゃんから電話をもらった。

「健せんせ、うち、健せんせが好きや」

と小学三年生のミラちゃんは言った。「健せんせがうちのお母さんとつきあっとっても、うちは健せんせのことが好き」

紙治様。兎一郎の言っていた意味が、健にもようやくわかった。

小春と治兵衛とおさん。月大夫と兎一郎と健。真智と健とミラちゃん。
いくつもの三角形が重なりあい、そこからすべての物語がはじまる。
健は世の中を成立させる真理を知った気がした。こんなに厄介な真理もないと思った。

七、妹背山《いもせやま》婦女《おんな》庭訓《ていきん》

青々とした山並みと春日大社の朱色。本舞台には、のどかな景色が広がっている。そのなかでいまちょうど、久我之助《こがのすけ》と雛鳥《ひなどり》が行き合ったとたん恋に落ちたところだ。

「扇を開き寄り添ふて口と」

「口とを鴛鴦《おしどり》のひつたり抱きつく」

十一月の国立文楽劇場の演目は、『妹背山婦女庭訓《いもせやまおんなていきん》』の通し狂言だった。健《たける》の出番は、物語の端緒となる「小松原《こまつばら》の段」だ。床《ゆか》には六人の大夫と、三味線の兎一郎《といちろう》が並んで座っている。

健はこの段の筆頭大夫として久我之助を語り、青大夫《あおたゆう》が雛鳥を語る。朝早いというのに、大阪の観客は熱心に詞章《ししょう》に聞き入っている。青大夫と掛けあいをし、声を合わせて語るのは、健にとっては楽しかった。お互いの息を測りやすい。晴れやかな若い恋を、思うぞんぶん語ることができる。

六人の大夫がいっせいに語る部分もあるが、兎一郎の三味線はびくともしない。一人ですべてを支え、導き、野原を渡る風の音、草のにおい、恋に震える心までをも鮮やかに表現してみせる。

久我之助と雛鳥の逢瀬を盗み見ていた宮越玄蕃《みやこしげんば》によって、二人は互いに敵対する家のものだということを知らされる。

「過ぎゆかれしそなたの父、太宰少弐《だざいのしように》とわが父とはゆゑあつて遺恨ある家、その息女とは夢にも知らず只今《ただいま》のしだら」

「そんならお前に添ふことはなりませぬかハア、、、、」

驚き、悲嘆に暮れる久我之助と雛鳥を、健は他人とは思えなかった。

真智《まち》さんと俺は、これからどうなるんだろう。やっぱり添うことはできないんだろうか。いやだ、いやだ、俺の添う気は充分なのに！　でもなあ、まさかミラちゃんが俺を好きだなんて、思いもしなかった。これを真智さんに知られたら、「小学生にまでいい顔するからや。うちの娘をたぶらかしよって」と怒られる。ああ、もしかして俺、いまが人生最大のモテ期なのかもしれない。モテるってつらいことだったんだなあ。悩みが増えるばっかりで、ちっともうれしくない。

などと、上演中に罰当たりな考えをめぐらせる。健の意識が散漫になったのを、兎一郎は鋭敏に察したらしい。たしなめるように一の糸が重く震え、健は集中を取り戻した。

雛鳥は腰元たちとともに、泣く泣く館へ立ち帰る。あとに残された久我之助は、宮廷から逃げてきた帝の寵妃を匿《かくま》うことになり、蘇我入鹿との政争に巻きこまれていく。

はじまったばかりだというのに、風雲急を告げる物語。初段を語り終えた健は、床本《ゆかほん》を捧げ持ってから、客席へ深く頭を下げた。

楽屋の風呂に、兎一郎と青大夫と一緒に入った。本来なら若手や中堅は、長老格よりさきに風呂には入れない。だが青大夫が、師匠の砂大夫《すなたゆう》の草履をこっそり持ってきて、風呂の戸口に置いた。砂大夫が入浴中と思えば、ほかのものは遠慮して浴室を覗かない。おかげで健たちは、怒られることなく風呂を使える。若手が編みだした悪知恵だ。

狭い洗い場でさっと汗を流し、ぎゅう詰めになって浴槽に浸かる。爪が柔らかくなると糸を押さえるのに差し支《つか》えると言って、兎一郎は決して湯に左手をひたさない。肘で曲げた左腕を湯から突きだしている兎一郎と、頭に手ぬぐいを載せて鼻歌を歌う青大夫に挟まれ、健は肩をすぼめていた。

「それで、砂大夫さんはどうなんだ」

と兎一郎が言い、青大夫が鼻歌をやめた。

「あいかわらずです」

と健は答える。「楽屋に行っても『忙しい』の一点張り。家を訪ねても居留守を使われるし」

「師匠も意地になってはるみたいでなあ」

青大夫が居心地悪そうに湯のなかで身じろぐ。「堪忍したってや、健」

「堪忍していては、いつまでたっても稽古が進まない。早くなんとかしろ」

兎一郎は容赦がない。青大夫の苦しい立場を忖度《そんたく》せず、健を焚きつける。健は、風呂に入っているのに青ざめた青大夫の顔色をうかがいつつ、「はあ」と曖昧に答えるしかなかった。

そろって風呂から上がり、洗いたての浴衣に着替えて廊下を歩く。ちょうど砂大夫が、着到《ちゃくとう》板《ばん》の自分の名札をひっくり返し、楽屋口を入ってきたところだった。青大夫は駆け寄って、砂大夫の足もとにさりげなく草履を並べた。

「おはようございます」

健と兎一郎は通路を明けて挨拶し、青大夫が鞄を受け取る。

「師匠、健《たける》大夫《だゆう》が稽古のお願いを申し出とりますが……」

ふだんから和装の砂大夫は、銀大夫《ぎんたゆう》とちがって上品で理知的な面立ちをしている。その顔をちらっと健へ向け、

「むうぅ」

と犬でも追い払うように手を振った。「むうぅ」ってなんだよ、と健は少し憤る。どうやら今日も駄目らしい。砂大夫は楽屋へ歩いていった。青大夫はあわてて師匠のあとを追おうとし、素早く健に耳打ちした。

「こうなったら朝や、健。朝駆けせえ」

なるほど、と健はうなずいた。とにかく一回だけでも砂大夫に稽古をつけてもらわないかぎり、銀大夫も納得しない。多少強引でもいい。もはや手段を選んでいる暇はなかった。

兎一郎と別れ、自分の楽屋に戻った健は、月大夫《つきたゆう》の床本を手に取った。幸大夫《こうたゆう》が貸してくれたこの床本のおかげで、『仮名手本忠臣蔵《かなでほんちゅうしんぐら》』の六段目の勉強は飛躍的に進んだ。最近では兎一郎も、ともに稽古していて健の語りにため息をつく割合が減ってきた。組んでいる三味線に芸を認めてもらえるのは、大夫にとってうれしいことだ。健は俄然、やる気を出していた。このあとも、兎一郎と一日じゅう稽古場に籠もる予定になっている。

兎一郎が迎えにくるまでの寸暇を惜しみ、健は床本を読みこむ。隣の鏡台では幸大夫がいつも

のとおり、やはり床本を開いていた。

熱心な弟子に比して、銀大夫はのんきなものだ。砂糖をまぶした豆菓子をぽりぽりかじり、亀《かめ》治《じ》にたしなめられている。

「また銀師匠は、そないに間食しはって。おかみさんに言いつけますで」

「ええわい。福子《ふくこ》のことなんぞ知るか」

やけに早くから劇場に来ているなと思ったら、銀大夫はどうもまた福子と喧嘩したらしい。家にいづらくて楽屋でごろごろしているのかと、健はおかしいやら腹立たしいやらだった。

「そういえばこのごろ、出るんですってな」

と亀治が唐突に言った。

「出るって、なにが」

銀大夫が身を乗りだす。豆菓子から銀大夫の気をそらす作戦は成功だ。亀治は素早く、菓子箱に蓋をした。

「出る言うたら、あれしかありまへんがな。幸さんや健は聞いとらんか」

話題を振られ、健は「さあ」と首をかしげ、幸大夫は「俺はそういう類の話は好きやない」と震えた。幸兄《にい》さんは冷静沈着に見えて案外、神経が細いからなあ、と健は思う。

繊細そうに見えて神経の太い亀治は、わざわざ低めた声で話をつづけた。

「野助《のすけ》はんが稽古場に行ったらな、ちょうどなかから出てくるひとがおったそうなんや。『あれ、だれが稽古してはったんやろ』と思いながら、すれちがいざま会釈して、パッと振り返ったら廊下にはもうだれもおらんかったんですて」

「嘘や」

と幸大夫が言った。「俺は野助から、そないな話は聞いとらんで」

「そらそうや」

亀治は笑う。「幸さんに言うたら、怖がって稽古どころやなくなる」

「アホぬかせ。だれが怖がるかい」

「ふふ、まあ無理せんでええやないか」

と幸大夫と亀治がやりあっているところへ、三味線を持った兎一郎が来た。

「なんの話だ」

隣に正座した兎一郎に健は説明する。

「怪談です。最近出るらしいですよ」

「季節はずれだな」

銀大夫がパチリと扇子を鳴らした。

「そういえば、俺もこないだ会うたで」

「えーっ」

健たちはいっせいに銀大夫に注目した。

「楽屋の風呂で頭洗うとったんや。ちょっと泡立ちがたりんかったから、洗い場の奥にいるやつに『石鹸取ってや』言うた。石鹸載せた手が、うつむいとった俺の顔の下にぬっと出てな。『おおきに』って受け取って、頭を洗い流して顔を上げたら、風呂場には俺一人やった」

「ひえええ」と幸大夫。

「幽霊に石鹼取らせて、なに平然としてんですか師匠！」と健。

「銀師匠ったら、どうして頭まで石鹼で洗いはるんです」と亀治。

「洗ってるあいだに、先客は風呂から上がったというだけのことじゃないですか」と兎一郎。

楽屋は騒然とする。しかし銀大夫は悠然としたものだ。

「悪さするわけでもなし、生身だろうがそうじゃなかろうが、どっちでもええがな。石鹼取ってくれて、便利なやっちゃ」

「昔から劇場には、おるもんですからな」

亀治もおっとりとうなずく。

そうは言っても、なぜ冬の気配も濃くなったいまの時期に出るんだろう。幽霊といったら、夏が旬じゃないのか？　健は怪訝に思った。その思いは幸大夫も同じだったようだ。震える手で、健が大切に膝に載せていた床本を指した。

「もしやと思うが……。おまえがその床本で稽古をはじめたせいやないか？」

「えっ？」

健は床本を見下ろす。じゃあ、出没している幽霊は月大夫さんなのか？　俺の稽古の進展を見守るために？

「馬鹿らしい」

と兎一郎が強い口調で言った。「それならどうして、俺のところに出ないんだ」

その言葉には、月大夫ならば相三味線だった自分を必ず訪れてくれるはず、という確信が籠もっていた。健は胸を突かれた。死んで十年以上が経っても、兎一郎は月大夫のことを忘れない。月大夫とともに進んだ芸の道を、月大夫とともに築きつつあった芸の姿を、忘れない。

幸大夫は「すまん」と気まずげに謝った。銀大夫と亀治も、記憶を深くたどるような面差しになって沈黙する。

早く砂大夫に稽古をつけてもらわなければ。健はそう思った。もっとうまくなりたかった。もっと義太夫の真髄に迫りたかった。

健の脳裏ではいつも、理想の語りが谺《こだま》している。冴え冴えとした三味線の音《ね》と響きあい競りあって、言《こと》の葉《は》はひとの魂の形を浮き彫りにする。

その境地に迫りたいと思った。もっと、もっと、もっと。

兎一郎との稽古を終え、夜になってラブリー・パペットへ帰りつくと、受付の磨りガラスの下から誠二《せいじ》の手が出て、台をこつこつと叩いた。

「なんや」

と健は身をかがめる。ガラスの隙間から、誠二が目を覗かせた。

「真智さんが待っとるで」

「どこで」

健はあわててロビーを見まわす。だれもいない。

「おまえの部屋に入っといてもらったわ」

「なんで勝手に！」

健は動揺した。洗濯した下着を洗面所に干したままにしてあったし、なによりもいまは真智に会う気構えができていなかった。

「ホテルの外に立たせとけへんやろ。変なおっさんに連れこまれたらどないする」

おとなしく連れこまれる真智ではないと思うが、たしかに、だれかに見とがめられないともかぎらない。健は誠二に礼を言い、薄暗い廊下を歩いた。自分の部屋のまえで深呼吸し、思いきってドアを開ける。

「おかえり」

と真智が笑顔で出迎えた。「勝手に入って堪忍な」

健の部屋で家具といったらベッドぐらいだ。真智は遠慮したのかベッドには座らず、窓際で立ったまま雑巾を縫っていた。どうも意表を突く言動をするひとだな、と思いながら、健は「ただいま」と言った。言ってすぐに、「一緒に住んでるみたいだ」と照れくさくなった。

「急にどうしたんですか」

「明日までに、ミラに雑巾縫うたげなあかんのや」

「いえ、そうじゃなく」

「わかっとるよ」

真智は足もとに置いてあったバッグに、縫いかけの雑巾をしまった。「あんたに会いたかったから、会いにきたんや」

あかんかった？　と真智は健を見た。顔が少し赤くなっている。どうやら真智も照れているらしい。

「あかんことありません」

健はたまらなくなって、思わず真智を抱きしめた。腕のなかの真智にキスし、そのまま二人でベッドに腰かける。安物のスプリングがきしんで、健は我に返った。

「いやいや、あかんのでした」

「なんやねん、どっちやの」

「真智さんが来てくれはったのはうれしいです」

健は真智から身を離し、ベッドに座り直した。「でも問題があって……」

「うぞうぞ言うてからに。あとじゃあかんの？」

真智がのしかかってきて、健はベッドに押し倒された。

「あきまへん！　ちょっと、ちょっと待って。さきに話を……！」

無頼な男に迫られた未亡人か、と情けなく思いながら、健は必死に抵抗した。抱えた真智ごと身を起こし、なんとかもとどおりベッドに並んで座ることに成功する。

「あのですね」

「うわ、きしょいなあ。その東京弁やめてえな」

「すんません。真智さん、問題が出来《しゅったい》しましたんや」

「だから、なんやねん」

健は覚悟を決めた。

「実はミラちゃんに告白されましたすんません！」

一息に言いきりベッドから下りると、床に正座し頭を下げる。

真智は黙っていた。健がおずおずと視線を上げると、じっと見下ろす真智と目が合った。

「なんで謝るんや？」

と真智は言った。「うちをフッて、ミラとつきあうんか？」

あのね、と健は脱力しそうになった。

「なに言うてはるんですか。ミラちゃんは小学生ですやん」

「十年たったら、立派な女や。あんたとつきおうとっても、だれもなんも言わん。むしろ、『若い彼女でうらやましいなあ』って言われるぐらいやろ」

「俺は二十も若い女とつきあう趣味ありません。ミラちゃんがいくつだろうと、俺が好きなのは真智さんです」

「じゃあ、なんも問題ないやないの」

真智は表情を明るくし、健の手を取ってベッドに引きあげた。「そうやろ？」

「いやいやいやいや」

あまりに話が嚙みあわないので、健は困惑した。「俺は、つきあってる女性の娘さん、しかも小学生の娘さんから、告白されたんですよ？　倫理的になんか問題があるでしょう。しかもミラちゃんは、俺と真智さんがつきあってることを知ってたんです！」

「あらま」

と真智は少し驚いた顔になった。「なんであの子にばれたんやろ」

「こうして夜遅くに逢い引きしてたからですよ！」

「逢い引きって、言葉が古くないか？」

「すんません、義太夫語りなもんで。って、そうではなく。小学生の女の子のことほっぽらかして、その……セックス」

と健は小声で言った。「ばっかりして、あげくにその子から告白されてたんじゃあ、俺は立つ瀬がないですわ」

「そんならあんたは、どうしたいん？」

真智は冷たく聞こえるほどはきはきと尋ねた。「あんたがなにを問題にしとるんか、やっぱりうちにはようわからん。ミラがあんたのことを好き。それはわかった。でも、うちもあんたが好きや。自分の娘だろうと、譲る気はあらへん。子どもをほっぽっとると言われても、うちは会いたいときに会いたいと思う男と会うで。それはミラもわかっとるはずや。あんたはどないやの？ミラに告白されてそんなに動揺するんは、ミラが小学生でうちの娘やから？それってミラを馬鹿にしとらんか？うちとミラが知りたいのは、あんたがだれを好きなのか、いうことや」

「真智さんですよ」

健は心から言った。「決まってるじゃないですか！」

「じゃ、ミラにそう言うしかないやろな」

真智は決然とベッドから立ちあがり、バッグを手にした。「決着つくまで、会わんとこ」

健が止めるまもなく、真智は部屋から出ていった。ドアの閉まる音につづいて、廊下を去っていく真智の毅然とした靴音が響き、やがて小さくなって消えた。

健はベッドに腰かけたまま、呆然としていた。そのうち、おかしくなってきた。なんて痛快なひとなんだろう。真智さんも、ミラちゃんも。まっすぐに切りこんできて、いつでも誇り高く真情をさらし、俺にもそうしろと激しく求める。

気がつくと健は、一人で笑っていた。

俺は修業がたりない、と思った。


朝の五時に居間の雨戸を開けた砂大夫は、自宅の庭で健が土下座しているのを見て、たいそう驚いたようだった。

「うわわわわ、なにしとんねん、おまえは！」

「砂大夫師匠。どうか俺に、勘平腹切《かんぺいはらきり》の稽古をつけてください」

「いつからそこにおったんや」

「……四時前ぐらいからです」

「不法侵入やで、まったく」

夜明け前から庭に忍びこまれていたと知り、砂大夫はたじろぎを隠せない。動悸を鎮めるように息を吐いてから、やっと雨戸を開けきった。

「まあええ。上がりや」

「はい。ありがとうございます！」

無愛想に手招きされ、健は急いで立ちあがる。庭に面した掃きだし窓から、直接居間に上がりこんだ。

「稽古つけると言うたわけやないぞ。上がるだけやぞ」

そう言いながらも砂大夫は、居間の暖房をつけ、台所でごそごそやっていたかと思うと、健に熱い茶をいれて持ってきてくれた。寒さに耐えながら、砂大夫が雨戸を開けるのをずっと待っていたので、健の体は凍えきっていた。茶を飲むと、固く結ばれていた紐がほどけるように全身の筋肉がほぐれていく。

からになった健の湯飲みに、砂大夫は急須から二杯目の茶をついだ。健はまた礼を言い、ちょっと落ち着いたので、室内をさりげなく見渡した。

居間はフローリングで、さほど広さはない。八畳程度というところか。壁紙はもとは白だったのだろうが、年月を経て薄茶けている。天井近くの壁紙にいたっては、少し剝がれかけていた。居間の隣に和室があるようだが、いまは境の襖が閉まっている。家の外観から推するに、一階にほかに部屋はなさそうだ。

銀大夫の家は重厚な日本家屋で広さもあるが、砂大夫の家はつましいものだった。居間もなんとなく雑然として、床の隅やテーブルに新聞やら義太夫の資料やらが積み重ねてある。

そういえば、砂大夫師匠は早くに奥さんを亡くしたんだっけ、と健は思い出した。子どももおらず、一人暮らしをしているらしい。

「うちの師匠は、弟子の面倒見がええおひとや」と青大夫が言っていた。青大夫が技芸員になって最初のころは、稼ぎの少ない青大夫のために、砂大夫がアパートの家賃を払ってくれていたそうだ。青大夫の話を聞いて、ずいぶん待遇がちがうな、と家賃に汲々《きゅうきゅう》としていた健は思ったものだった。

健の場合はしばらく銀大夫の家に住みこんでいたが、半年ほどすると、「自分でなんとかせんかい」と放りだされた。もちろん、銀大夫は鬼のように熱心に稽古をつけてくれるが、弟子の私生活に関しては基本的に放任主義だ。

うちの師匠と砂大夫師匠とでは、性格も生活態度もずいぶんちがうんだなあ。健は茶をすすりながら思った。これはそりが合わなくて当然だ。でも、二人には共通している部分もある。それぞれのやりかたで、このうえもなく真剣に義太夫に取り組んでいるところだ。それは銀大夫も認めていて、だから健を砂大夫のもとに送りこんだのだろう。

テーブルの向かいで砂大夫も茶を飲んでいたが、ややして湯飲みを下ろした。

「銀の字のところには、見どころのある弟子が集まりよるな」

独り言のようだったので、健は黙っていた。砂大夫は顔を上げ、正面から健を見た。

「おまえは稽古をつけろと言うが、準備はしてきたんやろな」

「はい」

と言いきるには不安があったが、ここは虚勢を張らなければならない場面だ。健は持っていた風呂敷包みから、床本を取りだしてみせた。砂大夫は、「月大夫」の名が記された床本の表紙をじっと眺めた。

「おまえと組んどる三味線は、兎一郎やったな。あいつは、俺に稽古をつけられるのを納得しとるんか」

「いえ、はい……」

健は口ごもった。砂大夫は「そやろな」と笑う。

「俺を嫌うとるからな」

健はためらったが、気になっていたことを聞くのはいまだと思った。兎一郎が砂大夫とその一門を避けている理由を知りたかった。

「どうして兎一兄さんは、砂大夫師匠をその……、嫌ってはるんでしょう」

砂大夫は細いため息をついた。それはさびしい秋の風のような音を立てた。

「月大夫もおまえと同じように、勘平腹切の教えを請いにきた。俺は断った。研修所出身の大夫になにができる、と思うとった。大夫も三味線も人形も、小さいころから修業して修業して、ようやく一人前になれるもんや。研修所で学校みたいに教えたところで、意味ないがな。そう思うとったからや」

砂大夫は月大夫の床本を手に取り、ページをめくった。研鑽の跡が、たくさんの朱となって残る床本だ。

「月大夫は寒いなか、毎朝庭で俺が起きるのを待っとったわ。それでも俺は『うん』と言わんかった。月大夫の病気が進行して、医者も義太夫を止めるほど悪くなっとるのを、俺はちょっとも知らなんだんや。月大夫は肺炎を起こして入院し、そのまま二度と舞台に戻ってこんかった」

そうだったのか、と健は思った。月大夫は重い病気だったと幸大夫は言った。たぶん本人も、自分の命がそう長くはないと知っていたのだろう。弱った体で無理をして肺炎になったのは、月大夫にとっても不運だが、砂大夫にとっても痛恨の出来事だったにちがいない。

「『忠臣蔵』の初日の楽屋で、兎一郎が俺をなじること、なじること」

砂大夫は床本を健の手に戻し、うつむいてしまった。「『月さんがあんなに頼んだのに。あんたが大事なのは、自分の弟子だけですか。あんたは月さんに嫉妬してたんだ。研修所出身の月さんが、だれよりも深く義太夫を理解し表現してみせたから、あんたは悔しくてならなかったんでしょう!』。俺は一言もなかったわ。残酷なことに、何十年やっても下手なもんは下手や。文楽は才能と実力の世界や。才能のあるもんに熱心に努力されたら、のんべんだらりと年月を重ねただけのもんは、かないようがないわな」

健は驚いた。銀大夫に匹敵する実力を備え、人気を二分する大夫から出た言葉とは思えなかった。砂大夫がどれだけ自身の芸に厳しいか、月大夫の死にどれだけ悔いを抱いているかがうかがわれた。研修所出身の青大夫を弟子にしたのも、月大夫の死を契機に考えを変えたためだろう。

「砂大夫師匠。俺に勘平腹切を教えてください」

健は額をテーブルにすりつけて頼んだ。「砂大夫師匠に教えていただきたいんです」

「ええで」

砂大夫は言った。「俺も年取ったしな。意地張るのも疲れたわ。でもおまえ、三味線なしで、どう稽古するつもりや」

「すぐ兎一兄さんを呼びます」

「五分しか待たんで」

「えー！」

健は急いで兎一郎の携帯に電話した。早朝だというのに、兎一郎はしっかりした声で電話に出た。

「もしもし」

「兎一兄さん！　砂大夫師匠が稽古してくださるそうです。早く来てください、早く早く！　五分で！」

「うるさい。わかった」

兎一郎はそれだけ言うとあっさり通話を切った。

「兎一郎はなんやて？」

「『わかった』と……」

豊中に住む兎一郎が、寝屋川の砂大夫の家まで五分で来ることは、どう考えても不可能だ。健が首をひねっていると、はたして玄関のチャイムが鳴った。三味線をぶらさげた兎一郎だった。

「と、兎一兄さん、いったいどうやって」

うれしさと驚きで、健は無駄に口を開閉した。「テレポーテーションですか」

「馬鹿か、きみは。そろそろかと思って、近くのファミレスで待機していたんだ」

兎一郎は無表情のまま、砂大夫に頭を下げた。「砂大夫師匠、よろしくお願いします」

和室に移動し、『仮名手本忠臣蔵』の六段目、「早野勘平腹切の段《はやのかんぺいはらきり》」の稽古がはじまった。

「俺も暇やないいんや。いっぺんしかやらんで」

と宣言した砂大夫は、しかし細かい節まわしや音遣いをひとつひとつ指摘した。

「ちゃう。『何者の仕業《しわざ》。コレ婿殿《むこどの》、殺した奴は何者ぢゃ』」

「『何者の仕業。コレ婿殿、殺した奴は何者ぢゃ』」

砂大夫は張り扇で座卓を叩いて拍子を取り、ときに指揮棒のように振って音の高低を宙に描いてみせる。健は砂大夫の語りに少しでも近づこうと、必死に食らいつき声を合わせた。

「『舅《しゅうと》を殺し取ったる金、亡君《ぼうくん》の御用金《ごようきん》になるべきか。生得汝《しょうとくなんじ》が不忠不義の根性にて、調《ととの》へたる金と推察あつて、突き戻されたる由良助《ゆらのすけ》の眼力、ホ、ウ天晴《あっぱ》れ天晴れ』」

「兎一郎、音がもたつく。そこはあくまで腹でためて、実際の間《ま》はもっと詰んでおらなあかん」

「はい」

三時間に及ぶ稽古が終わるころには、三人とも汗びっしょりになっていた。健は肩で息をし、

「ありがとうございました」と畳に両手をついた。

「この段は登場人物が多い。腹を変えて的確に語り分けるのが肝心や」

砂大夫は額に浮いた汗を手ぬぐいでぬぐった。「おまえは勘平をどないな男やと思う」

「主君の仇討ちのためなら、なりふりかまわない男です」

「それだけか？　だからおまえの勘平には、聞いとって面白味がないんや。形はひととおり教えたったんやから、あとはもう一度、人物の性根をよっく考えてみい」

健と兎一郎は、砂大夫の家を辞した。午前の部の一番最初が出番だから、このまま劇場に向かわねばまにあわない。二人は無言のまま京阪線に乗った。脳内では、いま教わったことを目まぐるしく反芻《はんすう》していた。


その日の出番を終え、健は楽屋の食堂でうどんを無理やり飲みこむようにして食べた。早朝稽古で疲れてしまって、胃があまり動かない。銀大夫や砂大夫といった「切場語《きりばがた》り」と呼ばれる重鎮たちは、長時間に及ぶ重要な段を、毎日語りつづける。俺のほうがずっと若いのに、力量はもちろん体力でも負けている。健は改めて、師匠連のすごさを思い知った。

「健さん、ここにおったんですか」

人形の檜竹十吾《ひだけじゆうご》が食堂にやってきて、健に声をかけた。「いま健さんの楽屋のまえを通ったら、なんや騒がしかったですで。なんぞあったんとちゃいまっか」

また銀大夫が騒いでいるのだろう。健はうどんの器を返却台に戻し、楽屋へ急いだ。

楽屋の戸口にかかった暖簾をくぐるまえから、銀大夫の声は丸聞こえだった。

「ほな、あんたら親子は、健にもてあそばれとるちゅうことなんやな」

なんだなんだ。いやな予感にかられ、健は楽屋に飛びこんだ。室内には銀大夫のほかに、幸大夫、亀治、兎一郎がそろっている。全員の視線が集中するさきでは、ミラちゃんが客用の座布団に座っていた。

「ミラちゃん!?　どないしたんや」

ミラちゃんは楽屋の戸口を振り仰ぎ、健の姿を認めてちょっと笑った。

「健せんせに会いにきた。答えをちょうだい」

本当に真智さんと親子なんだなあ。衒《てら》いのない態度に健は圧倒された。草履を脱いで畳に上がり、ミラちゃんの向かいに腰を下ろす。健の一挙一動を、銀大夫たちが興味津々で見つめている。

「俺も、ミラちゃんに会うて話をせなあかんと思うとった」

こんなに見物人がいるまえでは恥ずかしかったが、しかたがない。健は腹を決めて言いきった。

「俺は岡田真智さんとつきあってる。真智さんのことがすごく好きだ」

「ひええええ」と幸大夫。

「相手にされとらんかったんやなかったか?」と亀治。

「つきあってるというのが、きみの勘違いでなければいいがな」と兎一郎。

「どや、ミラちゃん。健なんかやめて、俺にせんか。俺の義太夫は世界一やで」と銀大夫。

ミラちゃんはざわめく外野には目もくれなかった。

「うち、すぐに大人になってみせる」

「うん」

「お母さんは義太夫のことなんてちょっとも知らんで」

「うん」

「それでもお母さんがええんか」

「うん。どうしてかわからんけど、はじめて会うたときから好きになってしもたんや。そのあとも、ずっと好きになりつづけとる」

「わかった」

とミラちゃんはうなずいた。涙をこらえるミラちゃんに、「ごめんな」と言おうとして健はやめた。かわりに、

「袖から舞台を見物してみんか？」

とミラちゃんを楽屋から連れだした。舞台袖の邪魔にならぬところへミラちゃんを立たせ、

「ちょっと待っとってな」と楽屋へ取って返す。

次が出番の銀大夫と幸大夫は、裃《かみしも》に着替えはじめていた。亀治も準備をするために、自分の楽屋へ戻ったらしい。兎一郎は食堂へプリンでも食べにいったのか、姿が見えなかった。腹帯を締め、おとしを入れた銀大夫が袴をつけるのを、健は手伝った。

「健。砂の字にようやっと勘平腹切の稽古をつけてもろたところやっちゅうのに、ずいぶん余裕があるんやな」

ミラちゃんのまえでは抑えていたのだろう。銀大夫の静かな怒りを感じ取り、健は正座したまま身をすくめる。

「ミラちゃんと真智さんが、これからしばらくどないな思いで家で顔合わせることになるか、想

像してみいや。半端ばかりしとるから、こういうことになる」

「申し訳ありません」

「申し訳ないですむか！」

銀大夫の扇子が健の脳天に振りおろされた。「いっちょまえに、楽屋まで女に押しかけられよって。俺は言うたはずやで。芸の邪魔になるもんは切れ、て」

仕度を終えた銀大夫と幸大夫は、楽屋を出て床へ向かう。あとに従おうとした健は、「おまえはついてこんでええ」と銀大夫に冷然と告げられた。

「勘平腹切を少しはまともに語れるようになるまで、ほかのことにうつつ抜かすのはやめえ。おまはんの芸の最初の正念場やで」

健は氷を胃に押し当てられたような心持ちがしたが、師匠の言葉は絶対だ。

「承知いたしました」

と頭を下げた。

楽屋に一人残された健は、しばらく動けずにいた。「勘平腹切の段」をものにしないかぎり、真智に会うことができない。会わずにいるうちに、真智に愛想をつかされ、心変わりされてしまうかもしれないが、健の立場ではどうしようもない。

楽屋のスピーカーから、「妹山背山《いもやませやま》の段」の三重《さんじゅう》が聞こえてきた。『妹背山婦女庭訓』の最大の山場だ。中央を流れる吉野川によって、本舞台は上手が背山、下手が妹山に二分される。背山に住む大判事《だいはんじ》を銀大夫が、久我之助を幸大夫が務め、妹山に住む定高《さだか》を砂大夫が、雛鳥を草大夫《くさたゆう》が務める。

絢爛豪華な舞台と人気のある大夫たちの登場に、客席から盛んな拍手が送られるのが、スピーカー越しにもはっきり聞き取れた。亀治と野助の三味線は、渦巻いて流れる水のように重厚に、蝶二《ちょうじ》と草大夫の相方の澤富雪五郎《さわとみゆきごろう》の三味線は、散る花びらのように流麗に、絡まりあって悲劇の旋律を奏でる。

いつまでも楽屋でうじうじしていられない。健はなんとか立ちあがって、舞台袖のミラちゃんのもとへ行った。ミラちゃんは舞台を一心に見つめ、声を出さずに泣いていた。

「このやうにお顔見ながら添ふことのならぬはなんの報ひぞや。妹背の山の中を隔つ吉野の川に鵲《かささぎ》の橋はないか」

草大夫は、可憐な雛鳥の口説きを哀切に語る。赤い着物を着た雛鳥が悲嘆に暮れるたび、髪に挿した銀の簪《かんざし》が揺れてかそけき音を立てる。

「かわいそう。あのお姫さん、好きなひとに会うことができひんのやな」

健が隣に立ったことに気づき、ミラちゃんが小さな声で言った。

「親同士が喧嘩してるんや。そのうえ上司から無理難題をふっかけられて、どっちの家も絶体絶命のピンチにある」

と健も囁きかえす。ミラちゃんは「どうなるん?」とつぶやき、緊張の面もちで舞台に視線を戻した。

久我之助の父・大判事清澄《きよずみ》と、雛鳥の母・定高が、それぞれの家に帰ってくる。ときの権力者・蘇我入鹿からかけられた疑いを晴らすために、我が子を殺し、せめて相手の家の子どもだけは生きのびさせようと、両家の親は互いにひそかに決心する。

「侍の綺羅《きら》を飾り、いかめしく横たへし大小。倅《せがれ》が首を斬る刀とは五十年来知らざりし」

雛鳥と久我之助は親の思いを汲み、進んで命を差しだす。自分が死ねば、恋しいひとの命は助かるのだから、と喜んで。川に隔てられたまま、若い二人は死んでいく。遺された親たちは、雛鳥と久我之助が互いを思うがゆえに死を選んだことを知り、悔やみ泣く。

「ヤア雛鳥が首討つたか」

「久我殿は腹切つてか」

「ハア」

「ハア、、、、」

大判事と定高は、不憫な子どもたちの祝言を挙げてやろうとする。

「嫁は大和、婿は紀伊国。妹背の山の中に落つる、吉野の川の水盃《みずさかずき》。桜の林の大島台。めでたう祝言《しゅうげん》さしませうわい」

雛鳥の首と雛祭りの道具が、妹山から背山へと吉野川を渡っていく。銀大夫と砂大夫の老練の語りが、華やかゆえに哀しい情景をありありと描きだす。観客はせきあげ、ミラちゃんはいまや手放しで泣いている。

「こんなのって、あんまりや。うちは生きてるうちに結婚式したいで」

健は浴衣の袂《たもと》から手ぬぐいを出し、ミラちゃんの顔を神妙に拭いてやった。

大丈夫だよ、ミラちゃん。健は内心で微笑む。きみは雛鳥じゃない。どちらかというと、勇気にあふれて湖を渡る八重垣姫《やえがき》だ。いずれ必ず、好きなひとの心を手に入れて幸せになる。結婚式だってするだろう。もちろん生きて、俺よりも数十倍いい男と。

健は兎一郎と「勘平腹切の段」の稽古をつづけた。銀大夫には「三千世界に比類なきヘタクソ。やめてまえ」と罵られ、連日のように遅くまで稽古場に一人籠もり、ラブリー・パペットに帰ってからも床本を読みこんだ。

ふらふらになって眠りに落ちる寸前、考えるのは真智のことだった。ミラちゃんにはきっぱりと返事をしたが、まだ会えない。会えなくなった。芸のために待ってくれと言っていいのか、健は迷っていた。そんなのはひたすら俺の都合で、真智さんには全然関係ないじゃないか。それなのに頼むのは、ずうずうしいだろう。そう思った。

だからといって、このまま真智と疎遠になるのは絶対にいやだ。健はわずかな時間を見つけては、真智への手紙を少しずつ書くことにした。

ミラちゃんの告白に断りを言った。そのせいで真智さんとミラちゃんの仲が気まずくなるようなことがあったら、自分は大変申し訳なく思う。しかし、真智さんを諦めることは決してできない。できないが、いまは会えない。自分の芸が未熟なゆえに、真智さんに会うことを師匠に禁じられたからである。なんとかして師匠に認めてもらえるような大夫になるから、少しのあいだ待っていてほしい。

そのようなことを書きつづった。我ながら書いていていやになるほど、頼りない言いぐさだと思った。結局、手紙を出せないまま幾日か過ぎた。

公演と稽古に忙しいせいか、健はまた体重が落ちた。少し頬の肉が削げたなと自分でも思うようになった。大夫は体内で豊かに声を反響させる必要があるから、恰幅がよく大柄なほうがいいとされる。もうちょっと飯を食わなきゃと心がけてはいるのだが、摂取するより消費するエネルギーのほうが多かった。

気力は充実し、体調もすこぶるいい。健康体そのものなので、健は特に気にしていなかった。ところが兎一郎は、因縁ある「勘平腹切の段」を務めるせいか、めずらしくあれこれと心配してみせる。

「睡眠は取れてるのか」

「痩せたようだが、体は大丈夫なのか」

「まさか、季節はずれの幽霊に取り憑かれたわけじゃあるまいな」

そのたびに健は、「問題ないです。いいから稽古しましょう、ほらほら」となだめなければならない。ひとがやる気を出しているのに、「幽霊に取り憑かれた」とはひどい。

もし本当に「劇場の幽霊」がいるのなら、俺に憑いてほしいぐらいだ。俺に憑いて、俺の義太夫をいますぐ格段にうまくしてくれればいいのに。

そう考えて、健ははっとした。

俺はどうも、『妹背山婦女庭訓』の久我之助と雛鳥のようにはなれないらしい。相手を思って命を捨てる。吉野の山桜も散って二人を祝福するような、そんなきれいな生きかたはできそうもない。

やっぱり俺には、『仮名手本忠臣蔵』の早野勘平がふさわしい。殺した人間の懐から、これ幸いと財布を盗み、この金で主君の仇討ちに参加できると喜ぶ男。幽霊の力を借りてでも義太夫を極めたいと願う俺と、なんだか似ている気がする。

「兎一兄さん、勘平をどんな男だと思いますか」

稽古場で健は尋ねてみた。兎一郎は三味線の棹《さお》を拭いていたが、「そうだな」と作業を中断した。

「けっこういいかげんなやつ」

期待していた答えとちがって、健はがっかりした。

「そうかなあ。意志のひとじゃないんでしょうか」

「きみは是が非でも、勘平を石部金吉《いしべきんきち》みたいな男にしたいようだな」

兎一郎は眉を寄せた。「石部金吉が、死人の財布を奪って逃げるか？」

「いえ……」

「勘平は主君が切腹したときも、恋人のおかるの実家に遁走したんだぞ。意志のひとなら、その時点で主君に殉じていてもおかしくないはずなのに」

「うーん」

と健はうなった。たしかにそのとおりだ。

「勘平がいいかげんな男だから、『仮名手本忠臣蔵』は名作になったのさ」

兎一郎は飄々と言い、三味線を手に立ちあがった。「今日も残るのか？」

「はい。もうちょっとやっていきます」

「そうか。じゃ、おさきに」

兎一郎が稽古場を出ていくと、静けさが圧力となって押し寄せた。劇場内には、もうほとんどだれもいないのだろう。こんなときに幽霊が戸口から顔をのぞかせたらいやだな。健はふと想像して身震いしたが、すぐに忘れた。床本に記された月大夫の文字が、いきいきと躍るように浮かびあがって、健の脳内をいっぱいにしたからだ。

勘平がどんな男なのか。意志のひとなのか、いいかげんなやつなのか。それをつかめば、「勘平腹切の段」に揺らぎがなくなる。夜空を眺めつづけて、ついに星のめぐりを把握した太古の人々のように。茫漠として見える言葉の堆積は、実はきらきらと光る宝をひそかに隠している。それを探り当てなければならない。

健は自分で拍子を取りながら、語った。こんな調子で、初日までにまにあうんだろうか。不安になったが、勘平を知りたい一心で、夜の稽古場に居座りつづけた。

いつのまにか、見台《けんだい》に置いた床本につっぷして眠ってしまっていたらしい。暖房のきかない廊下から冷気が忍び入り、寝ていたことに気がついた。

戸口が開いて、だれかが稽古場にやってきたところだった。

いけない、警備員さんかな。健はつっぷしたまま、うっすらと目を開けた。白い足袋を履いた男の足が見えた。足袋？　警備員さんがそんなものを履いているはずがない。まだ残っている技芸員が、ほかにいたのか。

健は、「もう退出の時間ですか。俺はまだ勘平がわからんで、困っとります」と言おうとして眠気に負けた。ただむにゃむにゃと、言葉にならない声を発する。

稽古場に入ってきたなにものかは、見台のかたわらにたたずんでいた。無言のまま健を見下ろしているようだったが、ふと静かに笑う気配があった。

衣擦れの音がし、その男は健に向かってかがみこんだ。耳もとではっきりと声がした。

「生きることだ。生きて生きて生き抜けば、勘平がわかる」

健は勢いよく身を起こした。あたりを見まわす。稽古場には健以外にだれもいない。戸口は閉まったままだ。蛍光灯が青白い光で部屋のすみずみまで照らしている。

なんだ、いまの。

「夢……？」

それとも、噂の幽霊か。

生きることだ、と言った言葉は覚えているが、どんな声だったかは思い出せない。いま横にいたはずなのに、気配もにおいも残っていない。

夢でも幽霊でもかまわない。

健は猛然と床本を繰《く》った。生き抜けばわかる。そうだ、勘平を語る肝はそこだ。つかめそうだ。健のなかで言葉が集まり、早野勘平の実体を形づくりつつある。

もしかしたら、月大夫さんが様子を見にきてくれたのかもしれない。健は床本を読みながら思った。和紙は柔らかく、触れる健の指先を受け止める。

月大夫さんは、兎一兄さんと同じことを言うんですね。さすが、相三味線だっただけはある。兎一兄さんも一番最初に俺に言った。「長生きすればできる」と。そこには文楽の、勘平の、俺の、あらゆる人間の、願いと真実が宿っている。

語れる、と健は確信した。俺は「勘平腹切の段」を語ることができる。主君の大事を目にしながら恋人と逃げのび、死人の財布を奪い、なにがなんでも仇討ちに参加しようとする男。矛盾と混乱のただなかに常にいる、早野勘平は俺だ。

健は真智への書きかけの手紙を捨てた。かわりに新しい便箋に、ミラちゃんと一緒に十二月の舞台を見にきてほしい、とだけ書いた。公演と新幹線のチケットとともに、封をして投函する。準備ができた。十二月の東京公演の初日は、一週間後に迫っていた。

八、仮名手本忠臣蔵《かなでほんちゅうしんぐら》

その夜、俺は大きな懼《おそ》れとたしかな希望を胸に、道を急いでいた。

懐には縞《しま》の財布が入っている。猪と誤って撃ち殺してしまった男から、悪いこととは知りながら奪った財布だ。この金があれば、亡き主君・塩冶判官《えんやはんがん》の仇討ちに加えてもらえる。俺とおかるが犯した罪を償うチャンスだ。俺に貼られた「不忠義者」のレッテルを返上し、再び武士の面目を立てる最後のチャンスだ。

懐の財布が重い。ぬぐいきれぬ罪の重みではなく、希望の重みだ。俺はそう信じた。いまは真っ暗な山道にも、いつか朝の光が射す。それだけを信じて、ひたすら歩いた。

「ほんまにおまはんは、情けないやっちゃなあ」

情けなくてもいい。俺にはもう、この道を行く以外にすべが残されていないのだから。

「ええのんか、健《たける》。銀師匠が好き放題言うてはるで。おい、健?」

亀治《かめじ》の呼び声が耳に入り、健は我に返った。また意識を早野勘平《はやのかんぺい》と同化させていたらしく、眼前の光景がまったく遠のいてしまっていた。

「はい、なんです?」

あわてて背筋をのばし、健は正座した膝を銀大夫《ぎんたゆう》と亀治のほうへ向けた。

東京の国立劇場の楽屋だ。幸大夫《こうたゆう》が自分の鏡台で静かに床本《ゆかほん》を読んでいる。プリンを食べにいったのか、兎一郎《といちろう》の姿はない。差し入れの菓子箱にのばした銀大夫の手を、亀治が笑顔ではたき落としている。いつもどおりの楽屋の風景だ。

「情けない根性なし、ちゅうたんや」

叩かれた手の甲に息を吹きかけつつ、銀大夫は言った。「情けない」に付属する形容が、さっきよりも増えている気がする。

「なんでですか」

と健は首をかしげた。

「自覚ないいんかいな」

銀大夫はあきれ顔だ。「おまはん、今回の公演に呼んだんやろ？　ほら、あの……」

「ミラちゃんと岡田真智《まち》さんですわ」

と亀治が口添えした。

「そやそや、おまはんを好いとるミラちゃんと、おまはんが好いとる真智はんや。そういう大事な女二人に、『俺が語る勘平腹切《かんぺいはらきり》を聞きにきてくれ』て頼んだんやろ？」

「はい」

改めて言われると恥ずかしいなと思ったが、健は素直にうなずいた。

「そしたらふつう、公演の初日に呼ぶもんちゃうか？」

銀大夫は手にした扇子で、ずばんと音がしそうなほど鋭く健を差した。「なんでおまはんは、千秋楽の前日に呼んどるんかいな。ミラちゃんと真智はんがどないな顔で舞台を見とるか見てやろうと、初日の客席を無駄にうろついてしもたやないか」

「すんません」

と健は謝った。どちらかというと、自分のほうこそ銀大夫に謝ってほしいぐらいだと思ったが、しかたがない。

客席後方でちょろちょろする銀大夫のせいで、健は初日の「勘平腹切の段」を語りながら、気が散ってならなかった。上演中に技芸員が客席に出入りすることは、不文律として戒められている。だが、銀大夫にいまさらそんな常識を求めるのもむなしい。劇場の客席係につまみだされる銀大夫を見て、床《ゆか》で語る健はわずかに溜飲が下がる思いを味わうしかなかったのだった。

「でも、初日はまだ芸が練りきれてないですやん」

と健は説明した。「楽日《らくび》は緊張して肩に力が入りがちですし。やっぱり楽日の前日がベストやと思うたんですわ。土曜日で、東京まで来てもらうのにもちょうどええし」

「芸は初日から練りあげとかんかい！」

眉間めがけて飛んできた扇子を、健ははっしとつかんだ。銀大夫は、不発に終わった扇子を健の手からもぎ取る。

「だからおまはんは、意気地のたらん、情けない根性なしや、ちゅうねん」

形容がまた増えた。

「まあまあ」

と亀治が穏やかに取りなす。「はじめての大役にしては、健はようやっとりますやんか。お客さんにも受けがええみたいやし」

「そうか？　なんか凄みがたらへん気がするで」

銀大夫は不満そうだ。それは健も自分で感じていた。『仮名手本忠臣蔵』の六段目、「早野勘平腹切の段」の解釈は入念に確立させた。いまや、いつでも心を重ねあわせることができるほど、勘平は健にとって近しい存在だ。だが、それをうまく語りで表現できない。技量と経験が追いつかない。あせってもしょうがないとわかっていても、健は歯ぎしりする思いで公演の日々を過ごしていた。

十二月の東京公演は、今日を含めてあと三日で終わる。

もう少しで届きそうなんだ。健は思う。明日は真智さんとミラちゃんが見にきてくれるはずだ。いまできる最高の語りを目指して、ひるまずに舞台に上がるしかない。

床の音声を伝えるスピーカーが静かになった。殿中で高師直《こうのもろなお》に切りかかった塩冶判官が、その責任を取って切腹するシーンに差しかかったようだ。ふつうは大夫の語りに合わせて人形遣いが人形を操るが、判官切腹のシーンだけは人形遣いが主導権を握る。

いっさいの音が絶えた舞台で、白装束の判官は粛々と切腹の準備を進めているのだろう。舞台と客席の緊張と集中を感受し、楽屋内も静まり返った。

四段目の切《きり》、「塩冶《えんや》判官《はんがん》切腹《せっぷく》の段」を語るのは砂大夫《すなたゆう》、三味線は蝶二《ちょうじ》だ。楽屋のスピーカーは無音のままだが、砂大夫が間合いを計って息を詰めているのがわかった。場内に緊張の糸を張りめぐらせ、客の耳目を本舞台に集中させているのは、砂大夫の胆力にほかならない。

さすが砂大夫師匠だ。健は知らぬまに汗をかいていた掌を、浴衣の腿のあたりにこすりつける。

「力弥御意《りきやぎょい》を承《うけたまわ》り、かねて用意の腹切刀《はらきりがたな》、御前《ごぜん》に直《なお》すれば」

鋭いバチの一閃とともに、砂大夫が再び語りだした。楽屋の暖簾が勢いよく開いたのは、塩冶判官が肩衣を取り去ったのとちょうど同時だった。

「健さん！」

女の声に呼びかけられ、健は驚いて戸口を振り返った。息を乱して立っていたのは真智だった。

「真智さん！　どないしたんです」

劇場に来るのは明日じゃなかったっけ。いったいどうして、いきなり楽屋まで入ってきたんだろう。真智さんが俺の名前を呼んだのは、もしかしなくてもいまがはじめてだ。腰を浮かしかけながら、健は目まぐるしく考える。だが、すべては真智の言葉で吹っ飛んだ。

「ミラ、ここに来とらんか。いなくなってしもたんや！」

「ええー！」

膝の力が抜けた健は畳に尻をつき、押入から客用座布団を出そうとしていた亀治は頭を襖にぶつけ、幸大夫は床本を取り落とし、銀大夫は目玉をむいた。

「力弥、由良助《ゆらのすけ》は」

「いまだ参上仕《つかまつ》りませぬ」

スピーカーから聞こえる砂大夫の熱演が、楽屋の空気を物悲しく震わせた。

「とりあえず落ち着いてください」

と健が出した茶を一息に飲み干し、真智が語ったところによると、ミラちゃんは今朝、いつもどおり登校したのだそうだ。

「十時ごろに、藤根先生から店に電話があってな。ミラちゃんを見送ったあと、真智も出勤した。ミラが学校に来てへんて言わはるんや。びっくりして店を早退して、家に戻ってみたらこれが……」

健たちは真智の手もとを覗きこむ。居間の卓袱台にあったという置き手紙には、「一人で東京に行きます。心ぱいせんでええからね。ミラ」

としたためられていた。

「いや、心配するて」

同じ年ごろの子どもがいる亀治は、眉をひそめる。「たしかにミラちゃんの筆跡なんですね？」

「ええ」

と真智はうなずき、そこでようやく、自分が楽屋に乱入したことに思い至ったらしい。「まあ、ご挨拶もせんと、すんません」

「真智さん、それはええですから」

座布団から下りようとした真智を、健は急いでもとどおりに座らせた。「ミラちゃんがまだ大阪におる可能性はないんですか？」

「わからん」

真智は力なく首を振る。「藤根先生に頼んで、学校や友だちの家に現れたら、すぐ連絡してもらうことになっとるけど。携帯もつながらんし、うち、てっきりミラはこの劇場に来とるとばっかり思うて……」

「俺が送った新幹線と公演のチケットは、明日のぶんでしたよね？」

「うん。でも、ミラが開演からちゃんと見たいて言うたから、新幹線のチケットは今日のと換えたんや。ミラの学校が終わったら、落ちあって一緒に来ることになっとった」

「ふうむ」

と幸大夫が難しい顔で腕組みした。「ところがミラちゃんは、学校に行くふりをしていったん家に戻り、手紙を置いて一人で東京へ向かった、ちゅうことですな」

「はい。ミラのぶんの新幹線と公演のチケット、それから予約したホテルの地図をプリントアウトしてあったんですけど、それもなくなっとりました」

「どこのホテルです」

と健は聞いた。

「あんたがいつも泊まっとるところと同じにした」

「電話して、ミラちゃんらしき子が来とらんか聞いてみましょう」

健は真智の手を取り、優しくうながした。

「大丈夫や」

と銀大夫が言った。「公演のチケットを持って出たってことは、遅くとも明日には必ずここに現れる。あんまり思いつめたらあきまへんで」

楽屋口から外に出て、携帯で渋谷のホテルに電話した。ミラちゃんはまだ現れていないようだった。健は馴染みのフロント係に、ミラちゃんが来たらすぐ連絡をくれと頼んだ。

十二月の冷たい風が吹き抜ける。浴衣姿の健よりも、コートを着たままの真智のほうが震えている。

「真智さん……」

「謝らんといて」

と真智は言い、無理やり口もとに笑みを浮かべた。「うちがあかんかったんや。もっとミラのことを考えたらんとあかんかったのに、でけへんかった。あんたと会《お》うて、うちは」

「俺も同じです」

健は冷えきった真智の手を握った。「ミラちゃんに謝ります」

「そやな。はよ探して謝らんとな」

真智はそっと健の手をはずした。「さっき、劇場のひとに事情を話して、ロビーへ入れてもろたんや。でも、客席には入れんかった」

「ああ、判官切腹の段やったから……」

「判官切腹の段」は、古来「通さん場《ば》」とも言われる。切腹のシーンで完全な静寂が求められる重要な段なので、上演がはじまると客席の出入りが固く禁じられる。

「うち、劇場のまえにおるわ。ミラは客席にもぐりこんどるのかもしれん。出てきたところを捕まえたる」

「あきまへん、風邪ひいてしまいますで。劇場は俺たちで探しますから、真智さんはホテルで待っとってください」

いくら説得しても、真智は頑として首を縦に振らない。やむをえず、健は楽屋の通路からロビーへ真智をつれていった。

「勘平腹切の段」が迫っている。

「出番がすんだら、すぐ来ます。ここにおってください。ええですね?」

真智はうなずき、

「忙しいときに、堪忍な」

と言った。健はぞっとした。心ここにあらずな真智の口調は、穏やかだからこそ逆に、健を切り捨てるつもりなのではないかと思わせた。

健と真智のせいで、ミラちゃんが姿を消してしまったようなのだから当然だ。

それでも。健は足早に楽屋に戻りながら考えた。それでも別れたくないと思っている、俺はいったいなんなんだ?

底知れぬエゴと執着が恐かった。

「客席にはおらんみたいやったで」

健が楽屋の暖簾をくぐったとたん、銀大夫が声をかけてきた。また不文律を破り、さっそく客席に探しにいっていたらしい。

「亀治が劇場のまわりを見てくれとる」

と幸大夫が言った。「俺もこれから行く。おまえは心配せんと、舞台に集中しぃや」

「すんません。よろしくお願いします」

健は仕度を済ませ、畳に手をついた。ふだんはてんでばらばらなのに、いざというときには親身になってくれる。師匠と兄弟子の心遣いに、健は力づけられた。

床本を手に、床の裏へ行く。兎一郎がいつものごとく、仏頂面で舞台の音に耳を傾けていた。いままでどこにいたんだろう。肝心なときに親身じゃない、と健は思った。

「兎一兄《にい》さん、大変なんです」

健が囁きかけると、

「なんだ」

と兎一郎はやっと視線を向けてきた。もうスタンバイしなければならない。健と兎一郎は、床《ゆか》世話《せわ》の手を借りて床に上がりながら、小声で会話を交わした。

「藤根先生からなにか連絡ありませんでした?」

「基本的に妻とは没交渉だ。なぜそんなことを聞く」

兎一郎は糸の張り具合をたしかめる。ついたてで隔てられたすぐ背後では、「身売《みう》りの段」がいままさに終わろうとしている。

「ミラちゃんが行方不明になっちゃったんですよ」

「行方不明？　だが、さっき……」

「え？」

と健が問い返したとき、三味線のオクリとともに床が回転した。出番だ。「さっき」なんだよ、と思いつつ健はあわてて頭を下げた。客席から拍手が降りそそぐ。

息を整え、見台《けんだい》のうえで床本を開いた瞬間、ミラちゃんを忘れた。真智を忘れ、兎一郎の気がかりな言葉を忘れた。そんな自分を冷たいと感じる心も忘れた。

残ったのはただ、早野勘平の破滅だけだ。

俺が死人から奪った財布は、おかるの父親の与市兵衛《よいちべえ》どののものだった。なかに入っていたのは、おかるが身売りして作った金だった。おかるの母親は、泣いて俺をなじる。

俺は恋した女の父親を誤って殺した。恋した女が俺のために身を売って用立てた金を、そうとは知らず、なにくわぬ顔で仇討ちのために使おうとした。

原郷右衛門《ごうえもん》が俺を責める。俺の恥知らずな行いは、そのまま亡き主君・塩冶判官の恥になると責める。武士の本道からはずれたことのない、仇討ちの連判状にも名をつらねるご立派な郷右衛門が！

「うつけ者めが。左程《さほど》の事の弁《わきま》へなき汝《なんじ》にてはなかりしが、いかなる天魔《てんま》が魅入《みい》りし」

ああ、そうだ。俺は狂った。あんたにはわかるまい、郷右衛門。塩冶判官が刃傷に及んだあのときから、俺は狂いつづけている。狂わずにいられるか？

俺がおかると会っているまに、主君は短慮としか言いようのない行動に出た。よりによって、俺が目を離した隙に！　いったいなんのいやがらせだ。殿中で刀を抜くやつがいるなんて、それが自分の主君だなんて、だれが予測できる？

俺はあの夜から、武士ではなくなった。主君の大事に居合わせなかった不忠者になった。人間でもなくなった。ひとは俺を、義務を果たさず感情の赴くまま放埒《ほうらつ》な振る舞いをする獣に等しいと嘲笑う。嘲笑う声が聞こえる。

叫びたい。重すぎる罪に苦しむ俺は人間だ。武士に戻りたい。そのためには、なんとしても仇討ちに加わらなければならない。それだけを願って生きてきたのに、山道で俺が撃ち殺したのは与市兵衛どのだった。俺が奪った金はおかるの代価だった。

「不忠不義の根性」と郷右衛門が俺を責める。おかるの母親が泣きわめく。

「堪《たま》りかねて勘平、諸肌《もろはだ》押し脱ぎ脇差《わきざ》しを、抜くより早く腹へぐっと突き立て」

刃《やいば》が俺の肉を貫いていく。俺を翻弄した運命そのものの冷たさで。

汗が床本に滴った。畳んだ手ぬぐいで額を拭き、健は語りつづける。勘平は苦しい息で語りつづける。

「かほどまで、する事なす事、鶍《いすか》の嘴《はし》ほど違ふといふも、武運に尽きたる勘平が、身の成り行き、推量あれ」

兎一郎の三味線が、勘平の無念を表し重く激しく鳴った。その音は健に、雷に撃たれたような痺れをもたらした。

もう口が止まらない。なにかが乗り移ったみたいに、体が声を出す器になる。脳髄が冴えわたり、魂が首筋から抜けでて頭のうしろで浮遊する感覚がする。

郷右衛門が与市兵衛の死体を検分し、死因は刀傷だと判明した。勘平が誤って撃ち殺したのは、舅《しゅうと》の与市兵衛ではなく、与市兵衛を惨殺した悪党だった。勘平は知らぬまに与市兵衛の仇を討っていたのだとわかったが、すべては遅い。

刀はすでに己れの腹に突き立てられている。死はすぐそこまで迫っている。

兎一郎がひとバチを振るうごとに、魂と肉体をつなぐ細い線が震える。震えるたびに視界が拓け、新しい想念が俺を襲う。

勘平は俺と同じだ。真智さんとの恋で脳みそをいっぱいにしていた俺と同じだ。恋にうつつを抜かすうちに、大切なミラちゃんが消えてしまった。このままでは俺は終わりだ。真智さんとの恋も終わるし、俺という人間への信頼もなくすだろう。

それなのに、いや、だからこそ、俺はいま必死になって義太夫を語る。俺の心を表現するために残された手段は、もう義太夫しかない。追いつめられた俺を生かし、自由にするのは義太夫だけだ。語るときだけ、俺は俺であって俺ではないものになる。しがらみや厄介事から解き放たれ、新しい俺に生まれ変わることができる。

勘平も同じだ。忠義を尽くす最後の手段、仇討ちになんとしても参加しようとあがく勘平は、これと決めたひとつの道に突き進んですべてを取り返そうとする俺の姿そのものだ。

おかるの母親は、誤解から勘平をなじってしまったことを知り、瀕死の勘平に取りすがる。兎一郎はわざと三味線の駒《こま》近くの糸を弾き、くもり濁った音色で老女のつらい心境を奏でた。本舞台では、東吾《とうご》が遣《つか》う勘平が髪振り乱して中空に視線をやった。十吾《じゅうご》が担当する勘平の足は、苦痛に崩れかけながらも踏みとどまる意志を表す。

「『たゞ今母の疑ひも、我が悪名も晴れたれば、これを冥途《めいど》の思ひ出とし、跡より追つ付き舅殿、死出三途《しでさんず》を伴《ともな》はん』

と突つ込む刀引き廻《まわ》せば」

棹も折れよ皮も破れよとばかりに、兎一郎は三味線にバチを叩きつける。健も一気呵成に終盤を語り抜こうと腹に息を溜め、そこで一瞬、集中が途切れた。

ミラちゃん？　いま、本舞台の下手の袖に、ミラちゃんがいなかったか？

隣で兎一郎が怒っている。語りに集中しろ、と体じゅうから放熱するように怒っている。

「ア、暫《しば》く暫く」

と健は気持ちを立て直した。ちょっと待て、と言いたいのは俺のほうだと思った。なんでミラちゃんが舞台袖に入りこんでるんだ。いったいいつのまに。

もちろん、手引きした犯人がだれなのかはわかっている。

「兎一兄さん！」

語り終えて床から下りたとたんに、健は兎一郎に詰め寄った。「兎一兄さんですね、ミラちゃんを匿《かくま》ったのは！」

「匿うってなんだ」

兎一郎は三味線を片手に、憮然とした表情だ。「昼前に楽屋口でうろうろしているあの子と行き合ったから、入れてやっただけだ。今日、舞台を見にくる予定だっただろう？」

「予定では明日ですよ！」

小声で言い争いながら、本舞台の背景の裏を通って、下手の袖に向かう。肩衣も取らず血相を変えて歩く健と兎一郎に、裏方たちの視線がなにごとかと集中する。

「ミラちゃん！」

休憩に入った客席を袖から眺めていたミラちゃんに、健は駆けよった。

「あ、健せんせ。ばれてしもたか」

ミラちゃんは明るく笑った。「いまの段、かっこよかったで」

健は袴が皺になるのもかまっていられず、その場にしゃがみこんだ。兎一郎はまだ事態を把握しきれていない表情で、ミラちゃんを抱きしめる健を見ていた。


「ミラ！　この、アホ娘！」

真智はミラちゃんをひっつかまえると、尻といわず背中といわず、平手で猛然と叩きはじめた。

「やだー、痛い痛い！」

ミラちゃんは悲鳴をあげ、

「まあまあ、まあまあ」

健と亀治が二人をなだめ、引きはがした。

「しかし兎一も、いらんことするなあ」

幸大夫があきれたように言う。

兎一郎は楽屋の隅に正座していた。藤根先生と電話して、やっと事情がわかったらしい。居心地悪そうに黙りこくっている。

「三味線のおじちゃんを怒らんといて」とミラちゃんが言った。「うちが、客席からじゃなく舞台を見たいてお願いしたんや」

「なんでそんな勝手なこと」

まだ怒っている真智は、ミラちゃんの頭を叩こうと手を振りあげる。ミラちゃんは素早く腕で防御の態勢を取った。

「明日の予習をしたかってん！　せっかく健せんせが、うちとお母さんを呼んでくれたんやで。どんな話なんか、事前に調べとかなあかんと思たんや」

「あんたはもう、文楽とこのひとのことになると、突っ走ってからに……」

真智はため息をつき、隣に座るミラちゃんの肩を抱きよせた。「お母さんは寿命が五年は縮んだ」

「ごめんな」

とミラちゃんは言い、真智の手に体を預けた。「でも、お母さんの寿命は百年ぐらいあるから、ちょっと縮んでも平気や」

甘えているように見えて、ミラちゃんのほうが真智のことを守っている。健は二人の様子を眺めた。こうやって、ミラちゃんと真智さんは支えあいながら生きてきたんだ、と思った。

「ミラちゃん。今夜、話をしよう。ホテルで真智さんと待っとってな」

と健は言い、楽屋にいるいつもの面々に頭を下げた。「ご迷惑をおかけして、すんませんでした」

ミラちゃんと真智も並んでお辞儀をする。

「ええがな、ええがな。無事でほんまによかったわ」

銀大夫が息をついて襟もとをくつろげ、扇子で風を送った。

楽屋口を出ると、真智はミラちゃんが見つかったことを、何人かに携帯で連絡した。見送りにきた健は、ミラちゃんと一緒に少し離れたところで通話が終わるのを待つ。楽屋にいづらかったのか、なぜか兎一郎もついてきていた。

「おい」

と兎一郎がミラちゃんに話しかけた。「きみが一人で東京に来たのは、予習のためだけじゃないだろう」

なにを言いだしたのかと、健は兎一郎とミラちゃんの顔を見比べた。ミラちゃんは兎一郎を見上げ、しばしの沈黙ののち、にやりと笑った。差し入れで高級和菓子をもらったときの銀大夫のような、ちょっとあくどい笑顔だ。

「そうや。お母さんと健せんせを心配させて、困らせてやろと思うたんや」

「ミラちゃん！」

いつからそんな悪だくみをする子になっちゃったんだ。健は驚いたが、兎一郎は表情を変えなかった。ミラちゃんはちらっと健をうかがってから、兎一郎に向き直った。

「それくらいの意地悪、うち、してもええやんな?」

「いいと思う」

と兎一郎は答えた。健は「えーっ」と思ったが、ミラちゃんには負い目があるので黙っていた。

「でももう、意地悪はやめにするわ」

うれしそうに笑ったミラちゃんは、しかしすぐにうつむいてしまった。「東京まで一人で来るの、けっこうえらかった。子どもは不便や」

心細かったのだろう。健は思わず、ミラちゃんの頭をなでようとしたが、兎一郎に目で制された。

「あせることはない」

と兎一郎は言った。「いずれいやでも大人になるんだから」

ミラちゃんと真智の背中が見えなくなっても、健と兎一郎はなおも楽屋口にたたずんでいた。

「というか、きみよりあの子のほうがずっと大人だ」

兎一郎は懐手をしながら言った。本当にそのとおりだ。健は黙ってうなずいた。

「さっきの勘平腹切は惜しかったな。前半までは、いままでで最高の出来だったんだが」

「思いがけない場所に、心乱されるひとの姿を発見したので」

「悪かったよ」

と兎一郎は苦笑した。健も笑った。白い息が夕方の空気に漂って消えた。

「明日は絶対に、勘平を語りきってみせます」

「楽しみだな」

兎一郎は身を翻し、楽屋口のガラス戸をくぐった。「こういう気持ちはひさしぶりだ」

健はビルのあいだの空を見上げた。日没後まもない灰色の雲の隙間に、銀色の星がひとつ光っている。

すっかり冷えた浴衣の腕をこすり、健も楽屋へ戻っていった。

『仮名手本忠臣蔵』の夜の部は、ますますの盛りあがりを見せている。これから、幸大夫と野助《のすけ》が出演する「雪転《こか》しの段」、そして最大の山場である九段目「山科閑居《やましなかんきょ》の段」が控える。「山科閑居」の切《きり》を務めるのは、もちろん銀大夫と亀治だ。奥《おく》は草大夫《くさたゆう》と雪五郎《ゆきごろう》。六段目を健に譲る形になった草大夫は、「山科閑居」の後半部分という大きな初役を、今日までのところ大過なくこなしていた。

まだまだだ、と健は思った。いつか、「山科閑居」を語れる大夫になる。銀大夫に引けをとらぬような大夫になる。笹本健大夫《たけるだゆう》は華と実力を備え、義太夫の真髄を語ったものだと、人々の記憶に残り、文楽がつづくかぎり言い伝えられる大夫になってみせる。

もし文楽の神さまがいるのなら。健は楽屋の通路を歩きながら願った。俺を長生きさせてくれ。もらった時間のすべてを、義太夫に捧げると誓うから。

そして、鷺澤《さぎさわ》兎一郎の三味線の音《ね》を俺にくれ。俺の芸の大成のためには、絶対に兎一兄さんの三味線が必要だ。兎一兄さんの芸を深めるために、たぶん俺の語りが必要なように。

火花散る芸のぶつかりあいがなければ、決して完成しないようにできている。文楽というのは、なんて人間の真に迫った芸能なんだろう。健はつくづく感心する。健の相三味線《あいじゃみせん》に兎一郎を、と望んだ銀大夫の目はたしかだ。兎一郎と組まなければ、健は芸の高みと深みがこんなに広がっているとは気づけなかった。

欲しいものをすべて手にいれるための、明日は第一歩だ。

絶対に願いをかなえてみせる。命と引き替えであろうとも仇討ちに加わりたがった、早野勘平を語りきる。

「よし!」と健は気合いを入れ直した。まえを行く兎一郎が、振り向いて怪訝そうな視線を寄越した。

その夜、渋谷のホテルの一室で、健はミラちゃんと真智と対峙した。

真智が取った部屋はツインで、窓側のベッドにミラちゃんと真智が、壁側のベッドに健が腰かけた。ベッドのあいだのスペースは狭く、膝が触れあいそうだ。

「ミラちゃん。ミラちゃんの一番大事なものってなんや?」

健は聞いた。唐突な質問にミラちゃんは目をぱちくりさせた。

「なんやろなあ。一番て選べんわ。お母さんも健せんせも友だちも義太夫も大事やから」

「俺は選べる」

と健は言った。「真智さん、俺にとっての一番は未来永劫、義太夫なんです。真智さんは二番目です。それでもええですか」

「ええよ」

と真智はあっさり言った。健にしてみると決死の宣言だったので、

「はい？」

と拍子抜けした。

「だから、ええよ、二番目で」

と真智は繰り返した。「それで言うたら、うちのなかでの一番は未来永劫、ミラやもん。次に大事なのは、ミラとうちが食べていくための仕事。あんたは三番目やね」

「健せんせ、三番目やて」

ミラちゃんが笑う。

「はあ……」

安堵するやら、がっかりするやらで、健は肩から力が抜けた。「まあ、そういうわけでミラちゃん。真智さんと俺は、お互いが一番やないけど、これからもつきおうていくと思う」

「うん、わかった」

とミラちゃんは言った。「お母さんの一番はうちで、健せんせの一番はお母さんやない。そんなら、ええわ。うち、いつか健せんせの一番になるように頑張るわ」

「うーん……？」

それは「わかった」と言えるのだろうか。健は疑問に感じたが、真智が楽しそうに、

「もしそうなったら、ミラはお母さんと健さんの一番を独り占めするわけやな。それはすごい」

と言ったので、もうよしとすることにした。

「お母さんはどうして、健せんせを三番目にしたん？」

ミラちゃんが無邪気に尋ねる。それは健もおおいに知りたいところだったから、身を乗りだす。

真智は健をまっすぐに見た。

「ほとんど一目惚れみたいなもんや。このひと、はじめてうちに上がりこんだときに、チャーハンをようけ食べよったやろ。緊張しとるのかずうずうしいのか、ようわからんひとやなあと思うたら、なんやおかしくなって……。それでやな」

「それだけ？」

とミラちゃんが聞いた。健も同感だった。そんな、食い意地の張った捨て犬に対するような感想を聞かされるとは思っていなかった。

「恋なんてそんなもんやろ。あとはまあ、いろんな相性とか」

と真智が不穏なことを口走りかけたので、健はあわててベッドから立ちあがった。

「じゃあ、俺はこれで。おやすみ、ミラちゃん。明日また劇場でな」

「おやすみなさい」

とミラちゃんは笑顔で手を振る。

真智は戸口までついてきた。健はドアから廊下に出たところで、真智を振り返る。

「ミラは一番が選べんのやな」

閉まりかかるドアを肩で支え、真智は小声で言った。

「それだけ可能性が広がっとるいうことです」

「そやな。子どもの特権や」

真智が微笑む。触れていいものかどうか迷いながら、健は真智の頬にそっと手をのばした。乾いたぬくもりが掌から伝わった。

自分の部屋に戻った健は、シャワーを浴びてベッドに入った。

おやすみなさい。また明日。

そう言いあえるひとたちがいる喜びは、夢のなかまでつづいていた。


おかるを愛し、山家《やまが》で過ごした日々は夢だ。穏やかで幸福な、決して手に入らぬ夢の日常だ。

激痛はいまや体全体を貫いている。鼓動をひとつ刻むたびに、腹から血があふれでる。

寒い。熱い血潮でぬめる指先の震えが止まらない。

すべてにさよならを言って、俺は残されたただひとつの道を行く。

「汝が心底《しんてい》見届けたれば、その方《ほう》をさし加へ一味の義士四十六人。これを冥途《めいど》の土産にせよ」

かすむ目に差しだされた連判状に、俺の名は虫に似て黒々と這う。これが俺の望んだものか。

おかるとその両親を不幸にしてまで欲したものか。

笑いたくて笑えず俺は震えた。

「勘平コレサ勘平。サ、血判《けつぱん》」

うるさい、わかっている。

「腹十文字にかき切り、臓腑《ぞうふ》を摑《つか》んで、しっかと押し、

『サア血判、仕《つかまつ》つた』」

兎一兄さんの三味線といったらどうだ。まるで朝の光そのもののように、むなしく降りそそぎ血の色を無情に照らす。

千秋楽を翌日に控え、国立劇場は今日も満員だ。

でも、客席を埋めているのは本当に生者か？

ミラちゃんがいる。真智さんがいる。食い入るように本舞台を見ている。だがこの場内で本当に生きているのは、不思議なことにいま死にゆかんとする早野勘平ただ一人だ。命を持たぬはずの勘平の人形だけが輝きを放つ。

俺が語る声も、兎一兄さんの三味線も、人形を遣う十吾の息づかいも、客席からの熱気も、すべてが勘平という架空の人物のための糧にすぎない。

舞台は爆発寸前の高揚を秘め、健はその場に居合わせた人々が、大きな渦に巻きこまれていくのを感じた。抗いようがない。舞台を主導していたはずの自分の声すら、もはや制御不能な巨大な渦の一角となった。

これが劇だ。時空を超え、立場の異なる人々の心をひとつの場所へ導く、これが劇の力だ。

「思へば〳〵この金は、縞《しま》の財布の紫摩黄金《しまおうごん》。仏果《ぶつか》を得よ」

ああ、哀れなり忠臣郷右衛門。いつも綺麗事ばかりで道をはずさぬあんたは、決してこの境地

にたどりつけやしないんだ。勘平の、俺の、すべてを捨て去った、捨てざるを得なかった気持ちは、決して決してあんたにはわからない。だからあんたは、この劇のなかで一人だ。観客の共感から弾き飛ばされ、どこか遠くをぐるぐるまわりながら、「忠義、忠義」と飽きるまで吼えたてるといい。

兎一郎は健の思いを汲みとったのか、重く皮肉に一の糸を一度鳴らし、ついで澄みわたる音《ね》で激しく空気を震わせた。

金色《こんじき》に輝く仏果などいるものか。成仏なんか絶対にしない。生きて生きて生きて生き抜く。俺が求めるものはあの世にはない。俺の欲するものを仏が与えてくれるはずがない。

健は内心で叫ぶ。

仏に義太夫が語れるか。単なる器にすぎぬ人形に、死人が魂を吹きこめるか。

勘平は最期の力を振り絞って絶叫する。

「ヤア仏果とは穢《けが》らはし。死なぬ〳〵。魂魄《こんぱく》この土《ど》に止《とど》まつて、敵討《かたき》ちの御供《おんとも》する！」

健、兎一郎、そして本舞台の人形たちは、そのときたしかに一体になった。爆発する音と動きが、客席の人々に『仮名手本忠臣蔵』の深淵にひそむ真実を伝えた。

忠臣蔵と銘打ちながら、この物語の本当の主人公は忠臣ならざる早野勘平だ。忠臣ならざるすべての人々が、この劇の主人公だ。

「さらばさらば、おさらばと、見送る涙、見返る涙、涙の浪《なみ》の立ち返る人もはかなき次第なり」

語り終えた健は、兎一郎の奏でる段切《だんぎ》れに乗って、観客と勘平の魂が昇華されていくさまを見た。

万雷の拍手。ミラちゃんが、真智が、生まれた場所も時間も生きてきた境遇もちがう人々が、舞台に向けて一心に手を叩いている。忠義を描くのではなく、忠義に翻弄されるひとの心の苦しみと葛藤を描いた『仮名手本忠臣蔵』は、二百五十年以上のときを経ていまも生きる。

健と兎一郎は、深く深く頭《こうべ》を垂れた。床がまわって二人の姿が隠れても、客席の拍手は鳴りやむことがなかった。

健は肩で息をし、床の裏へ下り立った。ぬぐってもぬぐっても汗が流れる。月大夫《つきたゆう》の朱を引き写した手製の床本は、表紙がふやけあちこちに染みができている。

薄暗い床の裏から舞台袖に出ると、涼しい風が吹き抜けた。兎一郎が隣で立ち止まり、ふと空《くう》を見上げた。健もつられて視線を上げる。

なにもない。高い天井に縦横に敷かれたレールに沿って、取りつけられた照明が輝いているだけだ。

「健」

と兎一郎が言った。健はびっくりして兎一郎を見た。兎一兄さんが俺の名前を呼んだのは、もしかしなくてもいまがはじめてだ。

「銀大夫師匠に挨拶にいくぞ。ついてこい」

銀大夫の楽屋は健の楽屋でもあるから、「ついてこい」もなにもない。どちらかというと、楽屋のちがう兎一郎のほうが「お邪魔する」立場だ。健は首をひねった。急にどうしちゃったんだろう。

兎一郎は楽屋の廊下を早足で歩いていく。すれちがう技芸員たちが、「おつかれさん」「健、なかなかよかったで」と声をかけてくれたが、健はろくに応えることもできなかった。

兎一郎につづいて、楽屋の暖簾をくぐる。

「ちょっと、すごかったじゃない！」

と飛びついてきたのはアケミだ。冬でもあいかわらず下着みたいなワンピースを着ている。支えそこねて健はよろけた。

「なあに、アケミちゃん。たいしたことあらへん、あらへん」

と銀大夫が言った。健はアケミを抱えるようにして畳に上がる。銀大夫は足の爪を切っていた。亀治は銀大夫の隣ににこやかに座り、幸大夫は鏡台に向かって床本を読んでいる。

「ちょっとあんた、なにしとんのや」

真智の声がし、健は首にかじりついたままのアケミの腰を支えながら、おそるおそる振り向いた。楽屋の戸口に、真智とミラちゃんが立っていた。ミラちゃんは口を「O」の字にして、アケミの腰にまわした健の腕を見ている。

「いえ、このひとは銀大夫師匠の……」

背後の騒ぎを一顧だにせず、兎一郎は銀大夫のまえに正座した。

「銀大夫師匠、健大夫を預けてくださいまして、ありがとうございます」

「うん」

銀大夫は爪切りをしまい、居住まいを正した。「今日のおまはんの音色を聞けばわかるが、まあいちおう聞いとこ。どうや、覚悟はできたか」

「はい」

「兎一兄さん」

健はアケミの体をはがし、急いで兎一郎の隣に膝をついた。「それってどういうことですか？覚悟って……」

答えたのは兎一郎ではなく亀治だった。

「健と一緒に義太夫の道を極めるいうことや。兎一はようやく、新しい大夫と組む決心をつけたんや」

「本当ですか、兎一兄さん」

「まあな」

と兎一郎はつぶやいた。「月さんも許してくれるだろう」

「やったー！」

健は両手をあげた。「やかましいわい、ボケ」と銀大夫の扇子が眉間に直撃したが、健は気にしなかった。兎一郎とならきっと、理想の語りと音色がせめぎあう境地にたどりつける。喜びと希望が胸に湧いた。

「文楽バカや」

と真智があきれたように言った。

「ねえ、あなたどこのお店のひと？　うちの店に来てくれたら、もっといい稼ぎになること請けあい！」

アケミが真智に渡した名刺を、ミラちゃんが興味深そうに覗きこんだ。


ラブリー・パペットは大晦日も大繁盛だった。掃除に駆けまわった健は誠二《せいじ》とともに、ロビーの古ぼけたソファでのびていた。

元旦の太陽は昇りきらんとしている。

「毎年思うんやけど、年越しをラブホでって、いったいどういうひとたちなんやろ」

「わからん。積年の謎や」

誠二は力なく首を振る。「とりあえず、今年もよろしうお願いします」

「あ、こちらこそ」

挨拶を交わすと、誠二はソファから立ちあがった。

「すぐ年始の挨拶に行くんか」

「うん。師匠のとこに顔出して、それから真智さんちにも寄る」

本来なら、千早《ちはや》の喪中にあたるところだが、

「正月はパーッとやらなあかん。千早もあの世で餅食うやろ」

と銀大夫がいささか勝手な宣言をしたため、例年どおり正月を祝うことになっていた。同じく喪中のはずの兎一郎も、銀大夫の宣言に特に異存はなさそうだった。

「そか。そんじゃ俺は、夕方までひと眠りしよかな」

今年の正月も、誠二は寺に帰るつもりはないようだ。健は自室で顔を洗い、手ぐしで髪を整えた。紋付きの羽織袴を着て、受付のドアを叩く。

「行ってくるで」

「おう」

「真智さんがおせちをわけてくれるて言うてたから、夕飯は食べんと待っといてや」

「おおきに」

表に出ると、薄青く澄んだ空から降る白い光がまぶしかった。晴れやかな正月の朝だ。

国立文楽劇場のまえに、大きな門松が立っている。緑の松葉の先端が、溶けた霜の滴を宿し輝いている。

帝塚山の駅で、銀大夫の家へ向かう兎一郎とちょうど出くわした。

「兎一兄さん」

健は、やはり紋付き姿の兎一郎に駆けよる。「あけましておめでとうございます」

「あまりめでたくもない」

と言った兎一郎は、マフラーを巻き、なんだか眠そうな顔だ。

「また藤根先生と喧嘩しはったんですか」

「まあそんなようなものだ」

兎一郎の不機嫌はいつものことなので、健は深くは追及せず、さきに立って歩いた。

さすがに飾りは控え目だったが、銀大夫の家の居間には大勢が集っていた。

銀大夫は早くも盃を傾けている。銀大夫の娘夫婦と亀治一家が、優雅に百人一首に興じている。福子《ふくこ》は台所で雑煮の味を最終調整し、おせちの入った重箱を運んでいた幸大夫が、健と兎一郎を見て「遅いぞ」と言った。

健は全員に餅の数を尋ね、次々にトースターで焼いた。兎一郎は銀大夫の酒の相手をする。準備が整い、新年の挨拶をしてから、全員で食卓を囲んだ。

「健、今月の公演の稽古は進んどるんやろな」

ほろ酔いかげんの銀大夫に問われ、健は背筋をのばした。

「はい」

「今年も大役をがんがん割り振ったるでぇ」

「いや、ほどほどでいいです」

「健は大役のたびに、げっそり頬がこけるからなあ」

と亀治が笑い、

「健《たけ》ちゃん、もっと食べぇ」

と福子が重箱を寄せる。

「健もトレーニングしたほうがええな」

手術後に腹筋を鍛えだした幸大夫は、はしゃぐ亀治の息子たちと腕相撲の真っ最中だ。

にぎやかに過ごし、昼をまわったところで銀大夫の家を辞した。初詣に行くという亀治一家と幸大夫と別れ、健は兎一郎とともに駅までの道を歩いた。

「稽古が進んでいる、だと?」

風を正面から受けた兎一郎は、マフラーを鼻先まで引っ張りあげた。「よくも言ったり、だな」

「進んでませんか?」

「五十年早い」

と、兎一郎は断じた。今年も変わらず、芸に厳しい。健は朗らかに笑った。

「大丈夫です。長生きしますから」

健と兎一郎は、ゆるやかな坂道をのんびりと下りていった。

大阪の町は、正月の光のなかで柔らかくけぶっている。これまでの三百年と、これからの三百年を生きる人々を、まるごと受け止め祝福するかのように。

健は新しい年の空気を深く胸に取りこんだ。

すべてを捧げても惜しくない。

文楽と出会って十四回目の春がはじまる。

謝辞

執筆に際し、多くのひとや資料に助けられた。深く感謝する。

竹本文字久大夫さん　六世鶴澤燕三さん
矢内裕子さん　森田共平さん　秋元英之さん

主要参考資料
各公演パンフレット・床本
各公演ＶＴＲ（国立劇場視聴室）
『日本古典文学大系』『新日本古典文学大系』（岩波書店）
『新潮日本古典集成』（新潮社）
『文楽ハンドブック改訂版』（藤田洋編・三省堂）
『浄瑠璃素人講釈』（杉山其日庵・岩波文庫）

作中で事実と異なる部分があるのは、意図したものも意図せざるものも、作者の責任による。
本書は文楽を題材にし、実際に上演される演目を取りあげているが、登場人物と実在する（実在した）大夫、三味線、人形のかたがたとは、まったく関係がないことを申し添えておく。

本書は「小説推理」'06年8月号～'07年3月号に連載された同名作品に加筆、訂正を加えたものです。

三浦しをん　みうら・しをん

一九七六年東京都生まれ。早稲田大学卒業。二〇〇〇年『格闘する者に○』でデビュー。二〇〇六年『まほろ駅前多田便利軒』で直木賞を受賞。他の著書に『むかしのはなし』『風が強く吹いている』『きみはポラリス』などがある。エッセイ集には、ウェブマガジン Boiled Eggs Online（http://www.boiledeggs.com）の連載をまとめた『桃色トワイライト』ほか、『人生激場』『シュミじゃないんだ』『あやつられ文楽鑑賞』などがある。

仏果《ぶっか》を得《え》ず

二〇〇七年一一月二五日　第一刷発行
二〇一〇年　五月一一日　第五刷発行

著　者　三浦しをん
発行者　赤坂了生
発行所　株式会社双葉社
〒162-8540　東京都新宿区東五軒町3番28号
電話　03-5261-4818（営業）
　　　03-5261-4840（編集）
振替　00180-6-117299
印刷所　大日本印刷株式会社
製本所　株式会社若林製本工場

落丁・乱丁の場合は小社にてお取りかえいたします。
定価はカバーに表示してあります。
ISBN978-4-575-23594-4　C0093